**Autor** _ GÓRKI
**Título** _ PEQUENO-BURGUESES

Copyright _ Hedra 2015
Tradução© _ Lucas Simone
Corpo editorial _ Adriano Scatolin, Alexandre B. de Souza, Bruno Costa, Caio Gagliardi, Fábio Mantegari, Iuri Pereira, Jorge Sallum, Oliver Tolle, Ricardo Musse, Ricardo Valle

Dados _

Dados Internacionais de Catalogação na Publicação (C

G682 Górki (1868—1936).
Pequeno-burgueses. / Górki. Tradução de Lucas Simone. Introdução de Elena Vássina. — São Paulo: Hedra, 2010. 190 p.

ISBN 978-85-7715-196-7

1. Literatura Russa. 2. Teatro. 3. Teatro Russo. I. Título. II. Górki, Maksim (1868—1936). III. Simone, Lucas, Tradutor. IV. Vássina, Elena.
CDU 882
CDD 891.7

Elaborado por Wanda Lucia Schmidt CRB-8-1922

Direitos reservados em língua portuguesa somente para o Brasil

EDITORA HEDRA LTDA.

Endereço _
R. Fradique Coutinho, 1139 (subsolo) 05416-011 São Paulo SP Brasil
Telefone/Fax _ +55 11 3097 8304
E-mail _ editora@hedra.com.br
Site _ www.hedra.com.br

Foi feito o depósito legal.

Autor _ GÓRKI
Título _ PEQUENO-BURGUESES
Tradução _ LUCAS SIMONE
Introdução _ ELENA VÁSSINA
São Paulo _ 2015

**Maksim Górki** (Níjni Nóvgorod, 1868—Moscou, 1936), pseudônimo de Aleksei Maksímovitch Piéchkov, um dos grandes nomes da literatura russa dos séculos XIX—XX. Poderoso ficcionista, Górki soube tratar de forma incomparável o meio brutal de párias da sociedade. Na sua produção literária destaca-se a trilogia autobiográfica *Infância* (1913—1914), *Ganhando meu pão* (1916) e *Minhas universidades* (1923). Ao registrar suas recordações sobre L. Tolstói e A. Tchékhov, entre outros, Górki ficou reconhecido também como memorialista. Considerado um dos grandes nomes da literatura dramática do século XX e o fundador da linha sociopolítica no drama moderno, Górki é um dos autores mais encenados no mundo inteiro ainda hoje.

**Pequeno-burgueses** (1902) é a primeira peça de Górki escrita especialmente para o Teatro de Arte de Moscou e dirigida por K. Stanislávski. Trata-se de um "drama familiar" que, ao recriar o cotidiano de uma típica família russa do começo do século XX, o autor, como que através de uma lente de aumento, examina toda uma cosmovisão social, a qual ele classifica como a "mentalidade pequeno-burguesa".

**Lucas Simone** é graduando em História pela Universidade de São Paulo e professor de língua russa.

**Elena Vássina** é pesquisadora russa, com pós-doutorado em Teoria e Semiótica de Cultura e Literatura pelo Instituto Estatal de Pesquisa da Arte (Rússia). É autora de vários ensaios dedicados à analise dos problemas da linguagem artística do teatro do século XX e à poética do drama moderno. Atualmente trabalha como professora de Literatura e Cultura Russa na Universidade de São Paulo.

# SUMÁRIO

Introdução, por Elena Vássina.................. 9

**PEQUENO-BURGUESES** **25**

Ato I......................................... 31

Ato II........................................ 71

Ato III.......................................105

Ato IV....................................... 143

# INTRODUÇÃO

Logo no início de sua carreira literária, Maksim Górki conquistou uma popularidade ímpar. Seu primeiro conto, "Makar Tchudrá", foi publicado em 12 de setembro de 1892 no jornal *Kavkaz*, editado em Tíflis, e teve grande repercussão. Seis anos depois, em 1898, quando da publicação de dois volumes das obras completas do jovem escritor, ficou óbvio que a fama de Górki havia superado todas as expectativas: as tiragens dos livros atingiram cem mil exemplares, esgotando-se rapidamente. Parecia incrível que todos os 25 mil exemplares de sua primeira peça, *Pequeno-burgueses*, foram todos vendidos em 15 dias. Nenhum escritor russo, antes de Górki, gozou de tamanha popularidade entre os leitores. Do dia para a noite, ele se tornou uma das mais famosas figuras literárias da Rússia no limiar dos séculos XIX—XX e passou a ser mundialmente conhecido como Maksim Górki ("górki", em russo, significa amargo), pseudônimo que adotara ao publicar o primeiro conto.

Aleksei Piéchkov (nome de batismo do futuro escritor Maksim Górki), filho de Maksim Piéchkov e Varvara Kachírina, nasceu em 16 (28)[1] de março de 1868, em

---

[1] Como a Rússia adotou o calendário gregoriano somente em 1918, é de praxe que todas as datas históricas russas anteriores a 1918 sejam informadas em dois formatos: primeiro, segundo o calendário juliano (o antigo) e depois, entre parênteses, segundo o calendário

Níjni Nóvgorod. Seu pai morreu quando Aleksei tinha apenas 4 anos. Sem meios para sustentar o filho, Varvara decidiu voltar para a casa de seus pais, onde enfrentou um verdadeiro inferno familiar: bebedeiras e constantes brigas entre seus dois irmãos pela divisão dos bens, falência da pequena empresa de seu pai e uma pobreza cada vez mais assustadora...

Na casa sombria e violenta dos Kachírin, havia somente uma pessoa que "amava viver e amava tudo", a avó analfabeta, Akulina Ivánovna. Sua imagem encantadora, plena de cordialidade, força e sabedoria popular, seria, mais tarde, consagrada pelo neto nas obras *Infância* (1913—1914) e *Ganhando meu pão* (1916) que, junto com *Minhas universidades* (1923), fazem parte da trilogia autobiográfica de Górki.[2] O escritor confessa que o "desinteressado amor pelo mundo" da avó o "enriqueceu e o impregnou de uma força resistente para uma vida difícil" e que, além disso, ele também ganhou da avó um inestimável conhecimento sobre o folclore russo e a literatura oral russa ao ter escutado "às histórias extraordinárias, sobre bandoleiros bondosos, sobre pessoas santas, sobre todo tipo de bicho e sobre o capeta"[3] que Akulina Ivánovna gostava de contar.

---

gregoriano (o atual). A diferença entre estes dois calendários é de 13 dias, para o século XX.

[2]*Infância. Ganhando Meu Pão. Minhas Universidades.* São Paulo: Cosac Naify, 2007. Tradução do russo, apresentação, ensaios e informações sobre o autor de Rubens Figueiredo e Boris Schnaiderman.

[3]Citações em tradução de Rubens Figueiredo.

Em 1878, a mãe de Aleksei faleceu de tuberculose e, aos dez anos, o pequeno Górki teve de deixar a casa do avô e trabalhar para seu próprio sustento. Conseguiu um emprego numa sapataria, trabalhou em um escritório como desenhista, foi lavador de pratos num navio do Volga e acabou se apaixonando pela literatura. Graças ao cozinheiro desse navio, que lhe emprestava os primeiros livros de ficção, o menino de 12 anos começou a ler, ou melhor, começou a devorar todos os livros do baú do cozinheiro, que formavam "a mais estranha biblioteca do mundo": obras filosóficas e místicas, clássicos russos e estrangeiros, escritores contemporâneos e folhetos da literatura popular. É importante notar que a linguagem empregada na literatura popular exerceria grande influência sobre o estilo do jovem escritor, fato que ajudou-o a conquistar grande massa de leitores.

Górki nunca teve educação formal: sequer chegou a completar os estudos primários. Contudo, as leituras despertaram nele uma verdadeira sede de saber e, em 1884, ele foi para Kazan com intuito de ingressar na universidade, mas não conseguiu realizar seu desejo. Mais tarde, o escritor diria sobre aquele fracasso de seu sonho: "Eu não esperava ajuda alheia, nem contava com a sorte… O homem se forma pela resistência ao meio".

A própria vida continuou a ser "sua universidade". Perambulando de cidade em cidade no sul da Rússia em busca de emprego, Górki experimentou várias profissões (jardineiro, aprendiz de pintor, cantor de coro, padeiro etc.), comungando com os sofrimentos dos humilhados e ofendidos e conhecendo de perto o meio brutal do fundo (o submundo russo) e a dura existência de seus protagonistas: vagabundos, malandros, bêbados, ladrões, prostitutas... *bossiaki*, os pés-de-chinelo, seriam os personagens prediletos do jovem escritor, os quais ele soube tratar com tamanho vigor, de forma incomparável e jamais superada na literatura russa.

Durante suas andanças pela mãe Rússia, Górki aproxima-se também dos círculos revolucionários, sendo preso, pela primeira vez, em 1889.

Como já mencionamos, o escritor tornou-se famoso logo depois da publicação de seu primeiro conto. O êxito de "Makar Tchudrá" abriu ao autor as portas de vários jornais de Kazan, Samara e Níjni Nóvgorod, onde Górki publicou uma série de ensaios e folhetins satíricos. Em 1899, a revista *Jizn* publicou seu primeiro romance *Fomá Gordéiev*, que trouxe ao escritor fama mundial. Dmítri Bykov, autor do livro sobre Górki recém-lançado, *Será que Górki existiu*, faz uma nítida análise das particularidades do estilo literário que trouxe ao jovem escritor extraordinário sucesso:

Nas obras de Górki sempre acontece algo: assassinatos, espancamentos, prisões, paixões fatais, adultérios, brigas de pai com filho, ruínas, suicídio, incêndio, fraude... Tudo é intenso e, o mais importante, esplêndido. O esplendor talvez seja uma palavra chave na descrição de sua prosa da primeira fase: tudo está no limite da oleografia e, às vezes, até do *lubok*.[4] Ele constrói seus enredos grosseiramente, sem se preocupar muito com bom gosto, mas sempre os transformando de tal

---

[4] Um tipo da literatura popular russa, tipologicamente próxima à literatura de cordel.

maneira que a mais primitiva história se torna arte, ainda que nem sempre esteja no mais alto patamar.[5]

Ao conhecer a fama, Górki muda-se para São Petersburgo e logo consegue um lugar de destaque nos meios literários. Fez amizade com os maiores escritores da época: Lev Tolstói e Anton Tchékhov tornam-se seus leitores e interlocutores. De 1901 a 1912, Górki dirigiu a companhia de editoras Znánie; de orientação marxista, Znánie privilegiava uma linha de literatura realista, opondo-se a todo tipo de manifestações literárias modernistas.

Envolvido com o movimento revolucionário e defendendo uma posição política radical, Górki se tornava um escritor cada vez mais "engajado" e "perigoso" do ponto de vista do governo. Foi eleito membro honorário da Academia de Ciências, em 1902, título que foi mais tarde anulado por um ato do tzar Nicolau II. Em sinal de protesto, Tchékhov e Korolenko fizeram questão de se demitir da Academia.

Durante a primeira revolução russa, em 1905, Górki ingressa no Partido Social-Democrático dos Operários Russos (RSDRP) e conhece Lênin. O ponto alto de sua criação partidária foi a famosa "Canção do Albatroz" — uma verdadeira glorificação da "futura tempestade" revolucionária, decorada e declamada nas barricadas pelos militantes. Entretanto, depois de se proclamar contra o tzar, Górki passou mais um período preso na Fortaleza de Pedro e Paulo em São Petersburgo, fato que o obrigou a emigrar. A partir de 1906, o escritor fixa sua

[5] D. Bykov. "Byl li Górki?" Moscou: Astel, 2008.

residência na Itália, em Capri. Lá, escreve o "romance proletário" *Mãe*, obra que, já em 1907, segundo a crítica oficial da União Soviética, anunciou o novo método literário conhecido como realismo socialista, embora este livro, abertamente tendencioso e simplista, talvez tenha sido o mais fraco, do ponto de vista artístico, de tudo que Górki escreveu.

Depois da anistia geral anunciada pelo tzar Nicolau II em 1913, foi concedida a Górki a possibilidade de regressar à Rússia, onde permanece até emigrar novamente, em 1921, devido às suas severas críticas à revolução e ao regime dos bolcheviques. Górki escreve e publica no jornal *Nóvaia Jizn* (Vida Nova) uma série composta de 58 artigos, que em seguida seriam publicados no livro intitulado *Pensamentos inoportunos. Anotações sobre a revolução e cultura* (1917—1918). Nessa obra, proibida pela censura soviética durante 70 anos, Górki registrou com impressionante vigor e emoção as cenas da terrível crueldade desencadeada pela revolução, antes tão almejada (e até financiada) pelo escritor e agora percebida como "uma experiência violenta e desumana". Sem poupar seus companheiros partidários e o próprio Lênin, o escritor condena o líder do novo regime e "seus cúmplices", que, nas palavras de Górki, "com sangue frio difamam a revolução, difamam a classe operária ao obrigá-la a desencadear massacres sangrentos, a provocar *pogroms* e prisões de pessoas absolutamente inocentes".[6]

---

[6] M. Górki. *Nesvoevreménnie mysli. Zamiétki o revolutsii i kulture*. Moscou: Sovétski Pissátel, 1990, cap. XXXVI.

Liev Tolstói, quando conheceu Górki, logo sentiu que o jovem escritor tinha "um coração inteligente", e foi exatamente este "coração inteligente" que fez Górki, de novo, revelar todo o vigor de sua compaixão pelo ser humano ao levantar sua poderosa voz em defesa das vítimas do regime, quer fossem campesinos e operários embrutecidos por "tudo está permitido", ou membros da *intelligentsia*, perseguida e ameaçada pelo novo poder. Os "pensamentos inoportunos" tornavam-se cada vez mais amargos: Górki presenciava como "ao obrigar o proletariado a concordar com o fim da liberdade da imprensa, Lênin e seus cúmplices legitimaram o direto de fechar a boca da democracia".[7] Mas o escritor ainda tentaria se opor ao caos pós-revolucionário fazendo todo o possível para preservar os valores culturais. Graças a seus esforços foi fundada a editora Vsemírnaia Literatura que, literalmente, salvou as vidas de dezenas de escritores e poetas soviéticos que passaram a "ganhar seu pão" realizando traduções das obras clássicas encomendadas pela editora.

Mas, apesar de todos os esforços, o escritor não conseguiu prevenir a prisão e a execução do poeta Nikolai Gumiliov, em 1921. Revoltado, Górki decidiu emigrar da União Soviética ou, segundo a versão oficial, "foi ao exterior para tratar da saúde debilitada". Passou mais de dez anos fora; na Itália, em Sorrento, escreveu o romance "Os Artamonov" (1925), e, em 1927, começou a escrever "A vida de Klim Samguin", um livro que não chegou a terminar. Depois de mais de uma década de

[7] Ibidem.

exílio, em 1931, a convite de Stálin, Górki voltaria a viver na União Soviética, já considerado um escritor totalmente consagrado pelo regime socialista: ainda durante sua vida, não havia na União Soviética cidade que não tivesse uma rua ou uma praça Górki e até sua cidade natal, Níjni Nóvgorod, passaria a ser chamada Górki, por ordem de Stálin. Morreu em junho de 1936 e teve todas as devidas honras do "primeiro escritor proletário": seu corpo foi velado e sepultado na Praça Vermelha, ao lado do mausoléu de Lênin.

## GÓRKI, AUTOR DRAMÁTICO

Górki escreveu sua primeira peça, *Pequeno-burgueses*, devido a pedidos insistentes dos "pais fundadores" do Teatro de Arte de Moscou — K. Stanislávski e V. Nemiróvitch-Dántchenko. Coube exatamente a Górki tornar-se, segundo as palavras de K. Stanislávski, "o principal iniciador e criador da linha sócio-política no teatro",[8] assim como, podemos acrescentar, no drama moderno.

A ideia da peça data do início de 1900, mas o trabalho desenvolvia-se lentamente e seus primeiros resultados não satisfaziam o escritor. Górki costumava dizer que em *Pequeno-burgueses* havia muito barulho e nervos, mas "faltava fogo". Inicialmente, a peça teve o título de "Cenas na casa dos Bessiêmenov. Esboço dramático em quatro atos". Górki enviou um de seus primeiros

---

[8] K.S. Stanislávski. "Minha vida na arte". Moscou: Iskusstvo, 1983, p. 259.

exemplares para apreciação de Anton Tchékhov. E recebeu dele, sem demora, a resposta, na qual o já famoso autor de "A gaivota" e "Três irmãs" teceu suas considerações em relação a *Pequeno-burgueses*.

Tchékhov admitia que, embora a peça fosse

muito boa, tinha sido escrita à maneira de Górki: muito original e muito interessante, mas havia nela um defeito, um defeito visivelmente incorrigível, como são os cabelos ruivos na cabeça de um ruivo: o conservadorismo da sua forma. O senhor faz os novos e interessantes personagens cantarem novas canções, mas seguindo partituras que apresentam um aspecto gasto, batido: há na sua peça quatro atos, e os personagens se estendem em lições de moral, sente-se um temor diante das prolixidades [...].[9]

Contudo, decorridos alguns meses, em carta ao ator Iújin, Tchékhov observou que o indiscutível mérito desta peça consistia em Górki

ter sido o primeiro, na Rússia, e até no mundo inteiro, a começar a falar com desdém e repulsa da mentalidade pequeno-burguesa, justamente no exato momento em que a sociedade estava preparada para esse protesto. Do ponto de vista cristão, ou econômico, ou de qualquer outro ponto de vista que fosse, a mentalidade pequeno-burguesa não passa de um grande mal; ela é igual a uma barragem no rio que sempre serviu apenas à estagnação.[10]

O texto de *Pequeno-burgueses* sofreu censura por duas vezes, e a cada vez a quantidade e o tamanho de trechos suprimidos cresciam. Os censores riscavam da

---

[9] A.P. Tchékhov. *Obras completas em 12 volumes*. Moscou: Khudójestvénnaia Literatura, 1957, volume 12, p. 46.

[10] Ibid., p. 529.

obra as frases e palavras mais significativas, do ponto de vista social. Entretanto, apesar dos numerosos cortes empreendidos pela censura, a encenação de *Pequeno-burgueses* pelo Teatro de Arte de Moscou continuava a inspirar cautela e preocupação por parte dos círculos governamentais:

> Para assistir ao ensaio geral, reuniram-se ali, em São Petersburgo, "governantes" em peso, começando pelos grandes príncipes e ministros, todas as classes de funcionários, o Comitê de Censura completo, os representantes das autoridades policiais, assim como figuras das classes dominantes, acompanhadas de suas esposas e filhos. Uma guarnição fortalecida de policiais foi designada para ficar tanto dentro como em volta do teatro; pela praça, em frente ao teatro, passeavam guardas armados, a cavalo. Podia-se pensar que não era a preparação para um ensaio geral, e sim para um combate geral.[11]

*Pequeno-burgueses* foi apresentada pela primeira vez pelo Teatro de Arte de Moscou numa *tournée* artística, em São Petersburgo, em 26 de março de 1902, e os fiscais na entrada do teatro foram substituídos por guardas à paisana. Nemiróvitch-Dántchenko subia à galeria, suplicando que a juventude não realizasse manifestações — caso contrário Górki teria mais infortúnios. É preciso dizer que o trabalho com *Pequeno-burgueses* fora interrompido em abril de 1901, com a prisão do autor em Níjni Nóvgorod. A juventude radical reagiu com compreensão. Apenas na última das quatro

---

[11] K. Stanislávski. "Minha vida na Arte". Moscou: "Iskusstvo", 1993, p. 261.

apresentações alguém gritou com voz grave: "Abaixo o Grande Príncipe!".

Apesar disso, os censores não deixavam a peça de Górki em paz, submetendo-a a um número cada vez maior de cortes. Para poder impedir que as encenações de *Pequeno-burgueses* se proliferassem nos palcos das capitais e da província, foi aplicada a essa obra uma medida de censura exclusiva: só era permitido apresentá-la com autorização especial da parte do governador da localidade e numa versão definida da montagem, cimentada pela censura dramática.

O próprio princípio da estrutura de *Pequeno-burgueses* (como Tchékhov observou logo do início) é bastante tradicional, próximo ao tipo, difundido, de "drama familiar". Todos os acontecimentos se passam na casa de Vassíli Vassílievitch Bessiêmenov. Contudo, a ideia da peça é mais profunda e mais ampla do que uma simples amostra de um conflito familiar. Ao recriar o cotidiano do dia a dia de uma típica família russa do começo do século XX, o dramaturgo, como que através de uma lente de aumento, examina toda uma cosmovisão social, a qual ele classifica como a "mentalidade pequeno-burguesa". Em seu artigo intitulado "Notas sobre a mentalidade pequeno-burguesa", Górki escreve que esta mentalidade consiste de

uma estrutura da alma do atual representante das classes dominantes. As principais particularidades da mentalidade pequeno-burguesa são: um senso de propriedade, distorcido, um desejo tenso de que sempre haja tranquilidade dentro e fora de si, um medo intenso diante de qualquer coisa que possa, de uma forma ou de outra, perturbar esta tranquilidade; e uma aspiração, persistente, de poder encontrar uma explicação para tudo aquilo que venha a fazer oscilar este equilíbrio que se estabeleceu na alma, ou que possa destruir os pontos de vista, já estabelecidos, sobre a vida e as pessoas.[12]

É essa compreensão do fenômeno da mentalidade pequeno-burguesa que vem a determinar a especificidade do conflito da peça. De um lado, ele se origina a partir de uma série, real, de acontecimentos que compõem o enredo: este é um conflito entre "pais e filhos" da família Bessiêmenov, entre o patriarca desta família e Nil, entre Nil e Tatiana etc. Por outro lado, o conflito interior (o mais importante para o dramaturgo) é aquele que ocorre entre os que exprimem a psicologia da mentalidade pequeno-burguesa (no entender profundo de Górki) e as novas ideias e formas de vida que vêm para mudar a antiga estrutura de vida.

A principal descoberta social e artística de Górki foi a personagem do filho adotivo dos Bessiêmenov, Nil, que, na visão do autor, deveria estar no centro do drama. O dramaturgo quis colocar nesta imagem o princípio do conflito do drama e, não é à toa que o velho Bessiêmenov profere a sua frase característica: "Nil! Tudo parte dele". Górki, pela primeira vez, lançou no palco um tipo de homem, até então desconhecido para o teatro russo. De botas de trabalho, o rosto sujo de fuligem, Nil se tornou o primeiro herói proletário a pisar sobre o palco russo. Por este motivo, poderíamos pensar que os censores tinham todos os motivos para temer que

[12] Górki. *Obras completas em 30 volumes*. Moscou: Khudójestvénnaia Literatura, 1995, vol. 23, p. 341.

a estreia de Górki como dramaturgo pudesse coincidir com o início da politização do teatro e que o teatro pudesse se transformar em uma arena de propaganda. No entanto, isto não veio a ocorrer por uma série de motivos.

Em primeiro lugar, porque o próprio diretor, Stanislávski, não tinha a intenção de criar um espetáculo "engajado" e dava-se conta, perfeitamente, de que

a tendência e a arte são incompatíveis, um exclui o outro. Logo que alguém se aproxima da arte com intenções tendenciosas, com propósitos utilitários ou outros que não sejam artísticos, ela fenece, como a flor nas mãos de Siebel. Em arte uma ideia estranha, uma tendência, deve transformar-se em sua própria ideia, realizar-se em sentimento, tornar-se uma aspiração sincera, uma segunda natureza do próprio artista. Neste caso, ela integrará a vida do espírito humano do ator, do papel, da peça como um todo e deixará de ser apenas uma tendência, tornando-se o próprio credo. E, por sua vez, o espectador terá que tirar suas conclusões e criar sua própria tendência a partir do que percebeu no teatro.[13]

Em segundo lugar, apesar dos insistentes conselhos de Tchékhov e dos pedidos de Górki, ambos procurando convencer Stanislávski a representar o papel de Nil, ele se recusou categoricamente, pois, do seu ponto de vista, não havia lugar para um "papel heroico".

É surpreendente como foi forte a influência de Tchékhov nesta primeira experiência de encenação da obra gorkiana. "Enfeitiçado" por Tchékhov, Stanislávski não conseguiu ver a diferença básica entre ambos os

[13] K.S. Stanislávski. Op.cit., p. 258.

dramaturgos, construindo toda a sua partitura de diretor baseada em "estados de espírito", usando semitons e pausas. Como resultado, a primeira montagem de *Pequeno-burgueses* pareceu mais um espetáculo *à la* Tchékhov.

É curioso observar a impressão que a apresentação de *Pequeno-burgueses* causou em Leonid Andréiev, outro famoso dramaturgo, contemporâneo tanto de Górki como de Tchékhov. Andréiev publicou uma resenha sobre o espetáculo, na qual escreveu:

As peculiaridades da primeira peça de Górki é que nela não existe aquilo que se chama de ação dramática e não há, também, personagens secundários. Retrata-se um pedaço do quotidiano, tal como ele é, com sua ação lenta, marcando passo... enquanto isso, as personagens envelhecem, geram filhos, morrem, aparentemente sem realizarem qualquer 'ação'... Bebem, comem, conversam, brigam, se separam, participam de 'acontecimentos', no meio de uma enorme massa inquieta, movendo-se para adiante e sem destino certo. E só quando se percebe quão longe todos eles avançaram, e que o fim não se assemelha ao início, então é aí que se sente e se compreende que, atrás desta ausência aparente de ação, ocultam-se poderosas forças de uma vida que destrói, pune, julga e cria. Esta historicidade artística da vida, que fora primeiramente introduzida no drama russo por Tchékhov, é levada ao total e brilhante desenvolvimento em *Pequeno-burgueses*, o qual o autor chamou, a meu ver, de modo totalmente infundado, de esboço dramático [...].[14]

O sucesso extraordinário viria a Górki dramaturgo logo em seguida, com a estreia, em 1902 e também no

---

[14] James Linch, (L.N. Andreyev). "Mescháne". In: *Kurier*, 31 de março de 1902.

Teatro de Arte de Moscou, de sua segunda peça, *No Fundo* (ou *Ralé*, como é melhor conhecida no Brasil). Em 1904/1905, ele escreve mais três dramas: *Veranistas*, *Filhos do sol* e *Bárbaros* e não seria exagero afirmar que um pouco antes da revolução de 1905, a obra dramática de Górki chegou a dominar os palcos russos, influenciando a politização dos espectadores, daquela *intelligentsia* russa que almejava, junto com Górki, a vinda da tempestade revolucionária.

# PEQUENO-BURGUESES

# Personagens

VASSÍLI VASSÍLIEVITCH BESSIÊMENOV
58 anos, abastado pequeno-burguês, dono de uma companhia de pintura de casas.

AKULINA IVÁNOVNA
52 anos, sua esposa.

PIÔTR
ex-estudante, 26 anos, seu filho.

TATIANA
professora de escola, 28 anos, sua filha.

NIL
maquinista, 27 anos, seu agregado.

PERTCHÍKHIN
vendedor de pássaros canoros, 50 anos, parente distante de Bessiêmenov.

PÔLIA
costureira diarista, trabalha em casas de famílias, 21 anos, sua filha.

ELIÊNA NIKOLÁIEVNA KRIVTSOVA
viúva do diretor da prisão, 24 anos, reside na casa dos Bessiêmenov, 24 anos.

TIÊTERIEV
corista de igreja e pensionista de Bessiêmenov.

CHÍCHKIN
estudante e pensionista de Bessiêmenov.

professora, amiga de Tatiana, 25 anos.

STEPANIDA
cozinheira.

MULHER NA RUA.
MENINO.
PINTOR.
MÉDICO.

*A ação se passa numa pequena cidade de província.*

# Cenário

*Um cômodo em um abastada casa pequeno-burguesa. Seu canto direito está dividido por dois biombos, que formam na sala um ângulo reto e que, limitando o plano de fundo, formam, no primeiro plano, um novo quarto, separado do grande por um arco de madeira. No arco, há um arame esticado em que está pendurada uma cortina estampada. Na parede traseira do cômodo maior, há uma porta que dá para um saguão e para a outra metade da casa, onde se encontram a cozinha e os quartos dos hóspedes. À esquerda da porta, há um enorme e pesado armário de louça; no canto há um baú; à direita, um velho relógio de pêndulo. Este, grande e em formato de lua, movimenta-se lentamente por detrás do vidro e, quando a sala está em silêncio, ouve-se seu tique-taque indiferente. Na parede esquerda, há duas portas: uma dá para o quarto dos pais; a outra para o quarto de* PIÔTR. *Entre as portas, há uma lareira de azulejos brancos. Próximo a ela, há um velho sofá com revestimento de oleado, e diante dele uma grande mesa em que almoçam e bebem chá. Perfiladas junto às paredes com uma nauseante regularidade, há um conjunto de cadeiras baratas, de estilo vienense. Mais à esquerda, já na extremidade do palco, há uma cristaleira de vidro, e nela diversas caixinhas coloridas, ovos de Páscoa, um par de castiçais de bronze, colheres de chá e de sopa e alguns conjuntos de copinhos e tacinhas de cristal. No quarto à direita do arco, junto à parede oposta ao espectador, há um piano, uma estante com partituras e, no canto, um vaso com um imbê. Na parede direita, há duas janelas em cujo peitoril há flores. Junto às janelas, há um divã e próximo dele, na parede dianteira, há uma pequena mesa.*

# Ato 1

*Fim de tarde, por volta das cinco horas. Enxerga-se pela janela um escuro dia de outono. No grande cômodo já está quase totalmente escuro.* TATIANA, *reclinada no divã, lê um livro.* PÔLIA *costura junto à mesa.*

TATIANA — (*Lendo.*) "Surgiu a lua. E era estranho perceber que dela, tão pequena e triste, jorrava sobre a terra uma meiga luz prateada, azulada…" (*Coloca o livro no colo.*) Está escuro.

PÔLIA — Acendo a lâmpada?

TATIANA — Não precisa. Cansei de ler…

PÔLIA — Como é bem escrito. Tão simples… e tão triste… muito tocante… (*Pausa.*) Estou morrendo de vontade de saber qual é o final. Será que eles vão ou não se casar?

TATIANA — (*Irritada.*) Não é essa a questão…

PÔLIA — Eu não me apaixonaria por um homem desses… eu não!

TATIANA — Por quê?

PÔLIA — Ele é enfadonho… Só se queixa… É inseguro… Um homem deve saber o que quer da vida…

TATIANA — (*Em voz baixa.*) Ah… E Nil, sabe?

PÔLIA — (*Confiante.*) Ele sabe!

TATIANA — E o que é?

PÔLIA — Eu... não posso dizer para você... Pelo menos não de uma maneira simples, como ele diria... Mas apenas as pessoas más... malvadas e mesquinhas, não gostariam dele. E ele não gosta delas...

TATIANA — Quem é mau? E quem é bom?

PÔLIA — Ele sabe...! (*TATIANA se cala, sem olhar para PÔLIA. PÔLIA, sorrindo, pega o livro do colo.*) Como é bem escrito! Ela é tão atraente... tão direta, tão simples, tão sincera. Quando vejo uma mulher assim, descrita de uma forma tão encantadora, até me sinto melhor comigo mesma.

TATIANA — Que ingênua... você é engraçada, Pôlia! Eu fico é irritada com essa história toda! Essa moça não existiu! Nem essa fazenda, nem o rio, nem a lua, nada disso existiu! É tudo invenção. Nos livros, nunca descrevem a vida como ela realmente é... A minha ou a sua, por exemplo...

PÔLIA — Escrevem sobre coisas interessantes. E na nossa vida, o que há de interessante?

TATIANA — (*Sem ouvir, irritada.*) Eu tenho sempre a impressão de que os livros descrevem pessoas... que não me amam e... que sempre discutem comigo. Como se dissessem para mim: "Isso é melhor do que você pensa, mas isso aqui é pior..."

PÔLIA — Eu acho é que todos os escritores são bondosos, sem exceção... Quem dera eu conhecesse o escritor...!

TATIANA — (*Como que falando sozinha.*) O feio e o desagradável eles não representam como eu vejo... mas sim de um jeito especial... mais grandioso... num tom trágico. Já o que é bom eles inventam. Ninguém conseguiria fazer uma declaração de amor da mesma forma como eles escrevem! E a vida não é trágica, de jeito nenhum... ela flui suave, uniformemente... como um grande e turvo rio. Mas quando você fica observando um rio correr os olhos se cansam, aquilo vira um tédio... a cabeça começa a dar voltas e você nem consegue mais pensar no motivo do rio fluir.

PÔLIA — (*Olhando pensativamente para o nada.*) Não, eu preferiria conhecer o autor. Enquanto você lia, eu ficava aqui pensando: como será ele? Será que é jovem? Ou velho? Será que é moreno?

TATIANA — Quem?

PÔLIA — Esse escritor.

TATIANA — Já morreu.

PÔLIA — Ai... que pena! Faz tempo? Ainda jovem?

TATIANA — Na meia idade. Bebia muita vodca...

PÔLIA — Pobrezinho... (*Pausa.*) Por que é sempre assim, os inteligentes beberem desse jeito? Como esse corista que mora com vocês... é muito inteligente, mas bebe demais... por que isso?

TATIANA — Porque viver é um tédio...

PIÔTR — (*Sai sonolento do quarto.*) Que escuridão! Quem está sentado aí?

PÔLIA — Eu... e Tatiana Vassílievna...

PIÔTR — E por que não acendem o fogo?

PÔLIA — Estamos apreciando o entardecer...

PIÔTR — Meu quarto estava com um cheiro de azeite, acho que veio do quarto dos velhos... Deve ter sido por isso que eu sonhei que estava nadando num rio de águas grossas, parecia até piche... E era difícil nadar... Eu não sabia aonde tinha que ir... não conseguia ver as margens... Até que apareceram uns tocos na minha frente, mas quando eu tentei me segurar neles, eles se desfizeram em pedaços meio podres, carcomidos. Que bobagem... (*Caminha pelo quarto, assobiando.*) É uma boa hora para tomar um chá.

PÔLIA — (*Acendendo a lâmpada.*) Pode deixar que eu preparo. (*Sai.*)

PIÔTR — As noites aqui em casa são especialmente... opressoras e sombrias. É como se todas essas tralhas crescessem, ficassem ainda mais volumosas, mais pesadas... ou como se suplantassem o ar, atravancassem a respiração. (*Bate no armário com a mão.*) Isso aqui está há dezoito anos nesse mesmo lugar... Dezoito anos... Dizem que a vida passa muito depressa, mas ela não foi capaz de mover esse armário aqui nem um centímetro... Quando eu era pequeno bati várias vezes a cabeça nesse trambolho... e agora por algum motivo ele me incomoda. Coisa mais inútil... Não é mais um armário, já é uma espécie de símbolo... Ao diabo com ele!

TATIANA — Como você é desagradável, Piôtr... Não faz bem viver assim.

PIÔTR — Assim como?

TATIANA — Você não vai a lugar nenhum... Fica só lá em cima com a Liêna... toda noite. Isso incomoda demais o pai e a mãe... (*Piôtr, caminhando e assobiando, não responde.*) Sabe, estou muito cansada ultimamente... Na escola fico perturbada com o barulho e com a desordem... aqui, com o silêncio e com a ordem. Tudo bem que desde que Liêna se mudou para cá a coisa ficou mais animada. Mas eu estou muito cansada! E as férias ainda estão tão longe... Novembro... Dezembro.
(*O relógio bate as seis.*)

BESSIÊMENOV — (*Colocando a cabeça para fora de seu quarto.*) Ora, ora. Não me diga que você de novo se esqueceu de assinar aquela petição.

PIÔTR — Assinei, assinei...

BESSIÊMENOV — Finalmente arranjou tempo... hehehe! (*Sai de cena.*)

TATIANA — Que petição é essa?

PIÔTR — De cobrança, do comerciante Sizov. Dezessete rublos e cinquenta copeques pela pintura do telhado de seu galpão...

AKULINA IVÁNOVNA — (*Entra com uma lamparina.*) Chuviscou de novo no quintal. (*Aproxima-se do armário, tira a louça de dentro dele e a coloca sobre a mesa.*) Está frio aqui dentro. Já acenderam o aquecimento, mas continua frio. A casa está velha, mesmo... aos pedaços... aiai. O pai de vocês já está amuado de novo, crianças... Disse que está com dor nos rins. Esse também está velho... são tantos fracassos... tanta bagunça... despesas enormes... preocupações...

TATIANA — (*Para o irmão.*) Você estava com a Liêna ontem...?

PIÔTR — Estava...

TATIANA — Divertiram-se?

PIÔTR — Foi o de sempre. Bebemos chá, cantamos... discutimos...

TATIANA — Quem discutiu com quem?

PIÔTR — Eu, com o Nil e o Chíchkin.

TATIANA — Como de costume...

PIÔTR — Sim. Nil entusiasmou-se com o processo vital... ele me irrita terrivelmente... com suas lições de moral, de amor à vida... Ridículo! Ao ouvi-lo você começa a imaginar a vida, essa total desconhecida, como se fosse uma vovozinha americana que surge de repente e trata você com tudo do bom e do melhor... Enquanto isso o Chíchkin tagarelava sobre os benefícios do leite e os malefícios do tabaco... me acusando de pensar como pequeno-burguês.

TATIANA — Sempre a mesma coisa...

PIÔTR — Sim, como de costume...

TATIANA — Você... gosta muito da Liêna?

PIÔTR — Ah… até que sim… ela é simpática… alegre…

AKULINA IVÁNOVNA — É uma sirigaita! Que vida fútil, aquela! Recebe convidados todo santo dia, é chazinho com açúcar, é música, é dança… E ainda diz que não pode comprar uma pia! Ela se lava na bacia, derrama água no chão… desse jeito a casa ainda vai apodrecer…

TATIANA — Já eu estive no clube ontem… numa reunião entre famílias. Sômov, que é membro da câmara municipal e diretor da minha escola, acenou para mim com a cabeça, de leve… pois é. Depois, quando a amante do juiz Románov entrou no salão, ele quase se jogou em cima dela, cumprimentou-a com beijos na mão, como se fosse a esposa do governador…

AKULINA IVÁNOVNA — Que sem-vergonha, hein? Em vez de pegar uma moça honrada pela mão, dar atenção a ela, conduzi-la com cuidado pelo salão em meio às pessoas…

TATIANA — (*Para o irmão.*) Você tem ideia? Uma professora aos olhos das pessoas é menos digna de atenção que essa mulher maquiada, essa depravada…

PIÔTR — Não se deve notar essas… vulgaridades… É preciso colocar-se acima de tudo isso… E que eu saiba ela pode ser depravada, mas maquiada não…

AKULINA IVÁNOVNA — E como você sabe? Por acaso lambeu as bochechas dela? Ofendem a sua irmã e você fica defendendo a agressora…

PIÔTR — Mamãe! Já chega disso…

TATIANA — Não, perto da mamãe é completamente impossível conversar...

(*Atrás da porta do saguão ouvem-se passos pesados.*)

AKULINA IVÁNOVNA — Ora, ora! Já ficaram bravos... Você, Piôtr, em vez de ficar marchando de um lado para o outro, podia ajudar a trazer o samovar para dentro... Senão a Stepanida já vai começar a se queixar, dizendo que está pesado...

STEPANIDA — (*Traz o samovar, coloca-o no chão, próximo da mesa e, endireitando-se, fala arfando com a patroa.*) Olhe, como a senhora quiser, mas eu vou dizer mais uma vez: eu não tenho forças para carregar esse diabo, minhas pernas não aguentam...

AKULINA IVÁNOVNA — Você quer que eu contrate alguém especialmente para fazer isso?

STEPANIDA — Poderia ser! O corista bem que poderia trazer, por que não? Piôtr Vassílievitch, coloque o samovar na mesa, eu não aguento mais!

PIÔTR — Tudo bem, tudo bem... ufa!

STEPANIDA — Obrigada. (*Sai.*)

AKULINA IVÁNOVNA — É verdade, Piêtia.[1] Por que você não fala com o corista para ele levar o samovar? Isso mesmo...

TATIANA — (*Suspira melancolicamente.*) Ai, meu Deus...

PIÔTR — Não seria o caso de pedir para ele trazer água,

[1] Apelido de Piôtr.

lavar o assoalho, limpar a lareira e aproveitar para lavar a roupa?

AKULINA IVÁNOVNA — (*Tenta com irritação se esquivar de seu braço.*) Por que você está dizendo isso? Isso já é feito direitinho, e sem a ajuda ele... Mas trazer o samovar...

PIÔTR — Mamãe! Toda noite você vem com esse fatídico problema: o problema de quem vai trazer o samovar. E acredite em mim, essa questão continuará sem solução até o momento em que você decidir contratar um zelador...

AKULINA IVÁNOVNA — E para que diabos eu preciso de um zelador? O seu pai já cuida da casa...

PIÔTR — E isso se chama mesquinharia. E para que ser assim mesquinho tendo no banco...?

AKULINA IVÁNOVNA — Chhh! Fique quieto! Se o seu pai ouvir ele vai mostrar para você o seu "banco"! Você colocou o dinheiro no banco?

PIÔTR — Mas escute!

TATIANA — (*Saltitando.*) Piôtr, pare com isso, pelo menos você... já estou sem paciência...

PIÔTR — (*Aproximando-se dela.*) Ora, não grite! A gente sem perceber se afunda nessas discussões...

AKULINA IVÁNOVNA — Já começaram a resmungar! E a mãe não pode dizer uma palavra sequer...

PIÔTR — Um dia após o outro, é sempre a mesma coisa... Por conta dessas brigas a alma começa a ficar enferrujada, como que coberta de fuligem...

AKULINA IVÁNOVNA — (*Grita na direção da porta de seu quarto.*) Pai! Venha beber chá...

PIÔTR — Quando o prazo do meu afastamento da universidade terminar, vou voltar para Moscou e só vou vir para cá para ficar uma semana, no máximo, como era antes. Depois de três anos de vida de universitário eu me desacostumei de casa... de toda essa mesquinharia e dessas futilidades pequeno-burguesas... É bom viver sozinho, sem as comodidades do lar...

TATIANA — Já eu não tenho para onde ir...

PIÔTR — Eu já falei para você ir fazer algum curso...

TATIANA — Ai, mas para que eu preciso de cursos? É viver que eu quero, viver, e não estudar... entenda!

AKULINA IVÁNOVNA — (*Tirando o bule do samovar, queima a mão e dá um gritinho.*) Ai, mas que diabo!

TATIANA — (*Para o irmão.*) E eu nem mesmo sei, nem imagino o que seja viver. Como *eu* poderia viver?

PIÔTR — Hm, é preciso viver com jeito... com cuidado...

BESSIÊMENOV — (*Sai de seu quarto e, olhando para os filhos, senta-se à mesa.*) Chamaram os pensionistas?

AKULINA IVÁNOVNA — Piêtia! Vá chamá-los...
(*PIÔTR sai. TATIANA vai até a mesa.*)

BESSIÊMENOV — Mas de novo compraram açúcar em torrões? Quantas vezes eu disse...

TATIANA — Mas não dá no mesmo, papai?

BESSIÊMENOV — Estou falando com sua mãe, não com você. Para você eu sei que dá no mesmo...

AKULINA IVÁNOVNA — Comprei uma libra, pai. Era uma peça inteira, mas não tive tempo de mandar cortar... não fique irritado!

BESSIÊMENOV — Não estou irritado... Eu estou dizendo que açúcar em torrões é pesado e não adoça direito. Portanto não compensa comprar assim. Açúcar se deve comprar em peças... e cortar por conta própria. Desse jeito ficam aquelas migalhas, que você pode colocar direto na comida. E o próprio açúcar fica mais leve, mais doce... (*Para a filha.*) Por que você fica fazendo caretas e bufando?

TATIANA — Por nada, por nada...

BESSIÊMENOV — Se não é nada não precisa ficar bufando. Será que é assim tão ruim ouvir o seu pai falar? Nós não falamos para o nosso bem, mas pelo de vocês, jovens. Nós já vivemos o que tínhamos que viver, agora é a vez de vocês viverem. Mas olhando para vocês jovens não dá para imaginar como vocês vão dar conta de viver sozinhos. Aonde vocês querem chegar? Vocês não gostam do nosso jeito, isso dá para ver, dá para sentir.,. Mas e o jeito de vocês, qual é? Essa é que é a questão! É sim...

TATIANA — Papai! Quantas vezes você já não me disse isso, hein?

BESSIÊMENOV — Falo de novo! E vou continuar falando até morrer. Porque eu não tenho sossego nessa vida.

E por conta de vocês... Não sei onde eu estava com a cabeça quando deixei vocês irem estudar... Veja só, Piôtr foi expulso, você ficou para a titia...

TATIANA — Mas eu trabalho... eu...

BESSIÊMENOV — Já entendi. E para que serve esse seu trabalho? Os seus vinte e cinco rublos não servem para nada, nem para você. Se você se casasse, vivesse uma vida direita, eu mesmo pagaria cinquenta rublos para você...

AKULINA IVÁNOVNA — (*Durante toda a conversa entre o pai e a filha revira-se inquietamente na cadeira, uma vez ou outra tenta dizer alguma coisa e, finalmente, pergunta amavelmente.*) Pai! Não quer uma... tortinha de requeijão? Sobrou do almoço... hein?

BESSIÊMENOV — (*Virando-se, olha para ela, primeiramente irritado, mas depois, sorrindo disfarçadamente, diz:*) Bem, traga a tortinha... traga... Hehe! (AKULINA IVÁNOVNA *vai em direção ao armário enquanto* BESSIÊMENOV *fala com a filha.*) Você está vendo? Sua mãe defende vocês de mim como uma pata defende os patinhos de um cão bravo... Fica toda trêmula, com medo, como se eu fosse machucá-los só com as minhas palavras... Ah, veja só! Se não é o passarinheiro! Apareceu aquele que estava perdido!

PERTCHÍKHIN — (*Aparece na porta e atrás dele entra* PÔLIA, *em silêncio.*) Paz a este lar e a seu nobre senhor, a sua bela senhora, a seus filhos amáveis, por toda a eternidade!

BESSIÊMENOV — Caiu no vinho de novo?

PERTCHÍKHIN — É a tristeza!

BESSIÊMENOV — Que tristeza?

PERTCHÍKHIN — (*Cumprimenta-o e começa a contar.*) Vendi o tertilhão hoje... Fiquei três anos com aquele pássaro de trinado tão belo... e agora o vendi! Sinto-me vil por ter feito isso, fiquei até comovido, com pena do passarinho... Estava acostumado... Eu o adorava... (PÓLIA, *sorrindo, balança a cabeça na direção do pai.*)

BESSIÊMENOV — Se é assim, por que o vendeu?

PERTCHÍKHIN — (*Segurando os encostos das cadeiras e andando em volta da mesa.*) É que me ofereceram uma boa quantia...

AKULINA IVÁNOVNA — E para que você precisava do dinheiro? Você acaba esbanjando tudo com bobagens...

PERTCHÍKHIN — (*Sentando-se.*) É verdade, mãe! O dinheiro não para nas minhas mãos... é verdade!

BESSIÊMENOV — Quer dizer que novamente não havia razão para vendê-lo.

PERTCHÍKHIN — Eu tinha uma razão. O passarinho estava ficando cego... portanto ia morrer logo...

BESSIÊMENOV — (*Sorrindo.*) É, você não é de todo bobo...

PERTCHÍKHIN — E você acha que eu agi com a razão? Foi a baixeza de minha natureza...

(*Entram* PIÔTR *e* TIÊTERIEV.)

TATIANA — E o Nil, onde está?

PIÔTR — Foi com o Chíchkin para o ensaio.

BESSIÊMENOV — Onde é que eles querem tocar?

PIÔTR — Na arena. É um espetáculo para os soldados.

PERTCHÍKHIN — (*Para TIÊTERIEV.*) Voz de Deus, como vai? Vamos caçar uns chapins, meu caro?

TIÊTERIEV — Pode ser. Quando?

PERTCHÍKHIN — Que tal amanhã?

TIÊTERIEV — Não posso. Tem velório...

PERTCHÍKHIN — E antes da missa?

TIÊTERIEV — Pode ser. Dê uma passada por aqui. Akulina Ivánovna! Será que não sobrou alguma coisinha do almoço? Um mingau ou alguma coisa do gênero...?

AKULINA IVÁNOVNA — Creio que sim, meu caro. Pôlia, traga para cá... (*PÔLIA sai.*)

TIÊTERIEV — Muitíssimo obrigado. É que hoje, como vocês bem sabem, eu não almocei, por causa de todos esses enterros e casamentos...

AKULINA IVÁNOVNA — Eu sei, eu sei...

(*PIÔTR, segurando um copo cheio, vai para o quarto atrás do arco, seguido pelos olhares perscrutadores do pai e do hostil TIÊTERIEV. Por alguns segundos todos bebem e comem em silêncio.*)

BESSIÊMENOV — Você está ganhando bem esse mês, Teriênti Khrisánfovitch. Quase todo dia tem um funeral.

TIÊTERIEV — É, até que estou com sorte.

BESSIÊMENOV — E casamentos toda hora também…

TIÊTERIEV — Há sempre alguém se casando…

BESSIÊMENOV — Então junte um dinheirinho e case você também.

TIÊTERIEV — Não quero…

(*TATIANA vai até o irmão e entre eles começa uma conversa silenciosa.*)

PERTCHÍKHIN — Não se case, não é necessário! Para o nosso camarada aqui, um excêntrico, o casamento não serve para nada. É melhor irmos caçar piscos.

TIÊTERIEV — Concordo…

PERTCHÍKHIN — A tarefa de apanhar esse pássaro é maravilhosa! Logo depois de cair a neve, a terra parece coberta por um manto branco… tudo que há ao redor é pureza, brilho e um dócil silêncio… Especialmente se o dia for ensolarado: aí a alma canta de alegria! Nas árvores, a folhagem ainda outonal parece feita de ouro e os galhos estão recobertos pelo brilho prateado dos fofos tufos de neve… E então, em meio a essa beleza comovente, ouve-se o grito das aves e, subitamente, do céu, descem bandos de belos pássaros avermelhados, cantando. É como se papoulas desabrochassem. São gorduchinhos esses passarinhos, elegantes como generais. Andam resmungando, trinando. É comovente! Eu me transformaria em um pisco se pudesse, para poder passear com eles pela neve… hehe…!

BESSIÊMENOV — O pisco é um pássaro idiota.

PERTCHÍKHIN — Eu mesmo sou um idiota...

TIÊTERIEV — Disse bem...

AKULINA IVÁNOVNA — (*Para* PERTCHÍKHIN.) Você parece uma criança...

PERTCHÍKHIN — Adoro apanhar passarinhos! O que pode existir no mundo melhor do que pássaros canoros?

BESSIÊMENOV — Mas pegar passarinho é um pecado. Sabia?

PERTCHÍKHIN — Sabia. Mas e se eu gosto? Ainda por cima não sei fazer nada além disso. Eu creio que qualquer profissão é nobre quando se faz com amor...

BESSIÊMENOV — Qualquer uma?

PERTCHÍKHIN — Qualquer uma!

BESSIÊMENOV — E se alguém amar afanar as coisas dos outros?

PERTCHÍKHIN — Aí não seria mais profissão, seria roubo.

BESSIÊMENOV — Hum... Talvez seja...

AKULINA IVÁNOVNA — (*Bocejando.*) Aiai! Que tédio... É sempre um tédio nesse horário da noite... Você bem que poderia trazer seu violão e tocar para nós, Teriênti Khrisánfovitch...

TIÊTERIEV — (*Calmamente.*) Pelo contrato de locação do meu quarto, venerável Akulina Ivánovna, não assumi o dever de alegrá-la...

AKULINA IVÁNOVNA — (*Sem entender.*) O que você disse?

TIÊTERIEV — Já disse em alto e bom tom.

BESSIÊMENOV — (*Surpreso e irritado.*) Você muito me admira, Teriênti Khrisánfovitch. Você é uma pessoa... e aqui me desculpe pela expressão... imprestável... inútil... e ainda assim é orgulhoso como um fidalgo. Qual é a razão disso?

TIÊTERIEV — (*Calmamente.*) É de nascença...

BESSIÊMENOV — Do que é que você tanto se orgulha, afinal? Faça o favor de me dizer.

AKULINA IVÁNOVNA — Mas ele só vive fazendo esquisitices. Do que é que ele poderia se orgulhar?

TATIANA — Mamãe!

AKULINA IVÁNOVNA — (*Agitada.*) Hein? O que foi? (*Tatiana meneia a cabeça em reprovação.*) Quer dizer que eu falei coisa errada de novo? Tudo bem, eu fico quieta... Deus abençoe!

BESSIÊMENOV — (*Ofendido.*) E você, mãe, tome mais cuidado ao expressar a sua opinião. Nós moramos com pessoas instruídas. Eles podem elaborar análises e críticas a respeito de tudo, e sempre sob o ponto de vista das ciências, baseados na mais apurada razão. Já você e eu, somos dois velhos burros...

AKULINA IVÁNOVNA — (*Pacificamente.*) Mas como assim? Mas é claro... é que eles sabem, oras.

PERTCHÍKHIN — Mas nisso você tem razão, irmão. Você disse brincando, mas é verdade...

BESSIÊMENOV — Eu não estava brincando...

PERTCHÍKHIN — Mas espere aí! Os velhos são mesmo burros...

BESSIÊMENOV — Ainda mais em se tratando de você.

PERTCHÍKHIN — Eu não conto. Eu acredito no seguinte: se não houvesse gente velha, não haveria estupidez... Um velho pensando é como madeira molhada queimando: mais fumaça do que fogo...

TIÊTERIEV — (*Sorrindo.*) Apoiado... (*PÔLIA olha carinhosamente para o pai enquanto afaga seus ombros com as mãos.*)

BESSIÊMENOV — (*Enervado.*) Isso mesmo, isso mesmo! Continue falando...

(*PIÔTR e TATIANA interrompem sua conversa e olham para PERTCHÍKHIN com um sorriso nos lábios.*)

PERTCHÍKHIN — (*Tagarelando animadamente.*) Os velhos são acima de tudo uns teimosos! Um velho vê que se enganou e sente que não entende mais nada. Mas é incapaz de admitir. Puro orgulho! Eles se gabam dizendo que debaixo dessa ponte muito água já passou, mas a verdade é que de repente já não entendem mais nada! Não é assim? É um absurdo! E insistem nisso: eu que sou velho, eu é que tenho razão. Como assim? A cabeça deles já ficou devagar... Já a cabeça dos jovens é boa, é rápida...

BESSIÊMENOV — (*Grosseiramente.*) Agora você já está passando dos limites... Então me diga o seguinte: já que somos assim tão burros, alguém tem que nos ensinar a pensar de novo?

PERTCHÍKHIN — E para quê? Isso é dar murro em ponta de faca.

BESSIÊMENOV — Espere aí, não me interrompa! Eu sou mais velho que você. O que eu estou dizendo é o seguinte: esses aí, que têm a tal cabeça boa, ficam por aí se esquivando de nós, fazendo cara feia para nós, mas conversar conosco não querem! Então pense você nisso... que eu vou pensar também... e sozinho, já que eu sou burro demais para a companhia de vocês... (*Com um ruído afasta sua cadeira e, às portas de seu quarto, diz:*) meus filhos tão instruídos...

(*Pausa.*)

PERTCHÍKHIN — (*Para* PIÔTR *e* TATIANA.) Crianças! Para que vocês ofendem o velho desse jeito?

PÔLIA — (*Sorrindo.*) Foi você que o ofendeu...

PERTCHÍKHIN — Eu? Eu nunca ofendi ninguém em toda a minha vida...

AKULINA IVÁNOVNA — Amigos! O ambiente já está ficando desagradável... Por que ofenderam o velho? Agora todo mundo está amuado, descontente... ele é velho, precisa de sossego... Deveriam respeitá-lo... Ele é pai... Vou ver como ele está. Pôlia, você pode lavar a louça...?

TATIANA — (*Aproximando-se da mesa.*) Mas por que o pai se irritou conosco?

AKULINA IVÁNOVNA — (*Junto à porta.*) Ora, você é a que mais o evita... sua espertinha!

(PÔLIA *lava a louça enquanto* TIÊTERIEV, *apoiando-*

*-se com os cotovelos sobre a mesa, olha para ela com uma expressão séria.* PERTCHÍKHIN *vai até* PIÔTR *e senta-se à mesa.* TATIANA *vai lentamente para seu quarto.*)

PÔLIA — (*Para* TIÊTERIEV.) Por que você está olhando para mim... desse jeito?

TIÊTERIEV — Porque sim...

PERTCHÍKHIN — Em que você está pensando, Piêtia?

PIÔTR — Para onde eu poderia ir...

PERTCHÍKHIN — Há tempos quero perguntar uma coisa para você. Você me diga, por favor: o que é exatamente e como funciona a rede de esgoto?

PIÔTR — E para que você quer saber? Explicar de um jeito que você entendesse seria demorado... e enfadonho...

PERTCHÍKHIN — Mas você sabe?

PIÔTR — Sei...

PERTCHÍKHIN — (*Olhando desconfiadamente para o rosto de* PIÔTR.) Hum...

PÔLIA — Como está demorando a chegar o Nil Vassílievitch...

TIÊTERIEV — Que olhos bonitos você tem...

PÔLIA — Você já disse isso ontem.

TIÊTERIEV — Amanhã falarei de novo...

PÔLIA — E para quê?

TIÊTERIEV — Não sei, ora... Você deve achar que eu estou apaixonado por você.

PÓLIA — Ai, meu Deus! Eu não acho nada.

TIÊTERIEV — Nada? É uma pena! Então pense...

PÓLIA — Sim... Em quê?

TIÊTERIEV — Bom, pense pelo menos no motivo pelo qual eu não deixo você em paz. Pense e me diga...

PÓLIA — Que excêntrico você é!

TIÊTERIEV — Eu sei... Você também já me disse isso. E eu vou repetir para você: saia daqui! Não faz bem para você ficar nessa casa... saia!

PIÔTR — Você está fazendo uma declaração de amor? Ou será que sou eu que tenho que sair?

TIÊTERIEV — Não, nem se preocupe! Eu não considero você um objeto animado...

PIÔTR — Que sem graça...

PÓLIA — (*Para TIÊTERIEV.*) Como você é implicante! (*TIÊTERIEV afasta-se e começa a prestar atenção à conversa de PIÔTR e PERTCHÍKHIN.*)

TATIANA — (*Sai de seu quarto agasalhada com um xale, senta-se ao piano e pergunta, tocando algumas notas.*) Nil ainda não chegou?

PÓLIA — Não...

PERTCHÍKHIN — Que chatice... Mas então, Piêtia: outro dia eu li num jornalzinho que construíram na Inglaterra uma espécie de navio voador. É um navio como qualquer outro, mas parece que é só apertar um botãozinho e *vum*! Ele sai voando como um passarinho, por cima das nuvens e leva você para não sei onde... Parece que vários ingleses já sumiram sem deixar rastro. Será que é verdade? Hein, Piêtia?

PIÔTR — É bobagem!

PERTCHÍKHIN — Mas saiu no jornal...

PIÔTR — Como se saísse pouca bobagem no jornal...

PERTCHÍKHIN — E sai muita?
(TATIANA *toca baixinho algo triste.*)

PIÔTR — (*Irritado.*) Claro que sim!

PERTCHÍKHIN — Não se irrite. E afinal, por que é que todos vocês jovens olham para nós velhotes como se vocês fossem superiores? Isso não é bom!

PIÔTR — E daí...?

PERTCHÍKHIN — E daí que eu preciso ir embora, pelo visto. Estou farto. Pôlia, você ainda demora a ir para casa?

PÔLIA — Vou só terminar a arrumação... (*Sai da sala, seguida pelo olhar de* TIÊTERIEV.)

PERTCHÍKHIN — Pois é... Você se esqueceu, Piêtia, de quando caçávamos pintassilgos juntos. Naquela época você gostava de mim...

PIÔTR — Eu ainda gosto...

PERTCHÍKHIN — Estou vendo, dá para sentir... como você mudou!

PIÔTR — Naquela época eu gostava de balinha e de pão de mel, mas agora eu não consigo nem colocar na boca...

PERTCHÍKHIN — Entendi... Meu caro Teriênti! Vamos tomar uma cerveja?

TIÊTERIEV — Não estou com vontade...

PERTCHÍKHIN — Bom, estou sozinho... No boteco a coisa é mais animada. No boteco é tudo mais simples. Aqui com vocês a gente morre de tristeza, eu devo dizer. Vocês não fazem nada... não se interessam por nada... E se jogássemos cartas? Que tal *bridge*? Somos justamente quatro... (TIÊTERIEV *olha para* PERTCHÍKHIN *e sorri.*) Não querem? Bom, como vocês quiserem... Pois bem, adeus! (*Aproximando-se de* TIÊTERIEV, *convida-o com um gesto para beber.*) Vamos?

TIÊTERIEV — Não...

(PERTCHÍKHIN *sai, esfregando as mãos de maneira desesperançosa. Seguem-se alguns minutos de silêncio. Ouvem-se nitidamente as tímidas notas de uma peça que* TATIANA *toca lentamente.* PIÔTR, *deitado no divã, ouve e assobia a melodia.* TIÊTERIEV *levanta-se da cadeira e anda pela sala. No saguão, atrás da porta, algo metálico cai, produzindo um estrondo: um balde ou a chaleira do samovar. Ouve-se a voz de* STEPANIDA: "*Mas quem diabos deixou isso aqui...*".)

TATIANA — (*Sem parar de tocar.*) Como o Nil está demorando a chegar...

PIÔTR — Não chega ninguém...

TATIANA — Você está esperando a Eliêna...?

PIÔTR — Alguém...

TIÊTERIEV — Ninguém vai chegar...

TATIANA — Como você é sombrio... toda vez...

TIÊTERIEV — Ninguém vai vir porque de vocês não se tira nada de bom...

PIÔTR — Assim diz Teriênti o teólogo...

TIÊTERIEV — (*Insistentemente.*) Vocês já repararam como o passarinheiro, mesmo sendo um velhote bêbado, tem uma alma e um espírito vivos, enquanto vocês dois, que mal vieram ao mundo, são dois mortos vivos?

PIÔTR — E você? O que você acha de si mesmo?

TATIANA — (*Levantando da cadeira.*) Senhores, parem com isso! Já passamos por isso antes, já passamos! Vocês já discutiram isso...

PIÔTR — Eu gosto do seu estilo Teriênti Khrisánfovitch... Gosto desse seu papel. O de juiz de todos nós... Mas eu bem que queria entender o porquê de você representar exatamente esse papel... Você sempre fala conosco como se recitasse uma ladainha pela salvação das nossas almas...

TIÊTERIEV — Existe ladainha para isso...?

PIÔTR — Tanto faz. O que eu quero dizer é que você não gosta de nós...

TIÊTERIEV — Deveras...

PIÔTR — Obrigado pela franqueza.

(*Entra* PÔLIA.)

TIÊTERIEV — Venha, venha brincar também!

PÔLIA — De quê...?

TATIANA — De ser impertinente...

TIÊTERIEV — De falar a verdade...

PÔLIA — Eu queria ir ao teatro... Alguém quer ir comigo?

TIÊTERIEV — Eu...

PIÔTR — Que peça está em cartaz?

PÔLIA — *A Segunda Juventude...* Vamos, Tatiana Vassílievna?

TATIANA — Não... Acho que nessa temporada eu dificilmente irei ao teatro. Estou farta. Fico impaciente e irritada com esses dramas cheios de choros, lamentos e soluços. (TIÊTERIEV *tamborila com os dedos as teclas do piano, e pela sala ecoa um som pesado e triste.*) É tudo uma mentira. A vida destrói as pessoas sem choros, sem gritos... sem lágrimas... imperceptivelmente...

PIÔTR — (*Enervado.*) Eles representam dramas sobre o tema do sofrimento amoroso, mas ninguém dá atenção aos dramas que dilaceram a alma de uma pessoa dividida e pressionada entre o querer e o dever...

(TIÊTERIEV, *sorrindo, continua a tamborilar nas teclas das notas mais baixas.*)

PÔLIA — (*Sorrindo confusamente.*) Bom, mas eu gosto de ir ao teatro... gosto muito. Por exemplo, Don Cesar de

Bazan,[2] o fidalgo espanhol... ele é incrivelmente bom! Um verdadeiro herói...

TIÊTERIEV — Eu sou parecido com ele?

PÔLIA — Ai, que nada! Não parece nem um pouco...!

TIÊTERIEV — (*Sorrindo.*) É... que pena!

TATIANA — Quando um ator faz uma declaração de amor no palco, eu escuto e me irrito... Isso simplesmente não acontece, não acontece...!

PÔLIA — Bom, eu vou... Teriênti Khrisánfovitch, você vem?

TIÊTERIEV — (*Para de tocar as teclas.*) Não. Eu não vou se você não encontrar em mim alguma coisa parecida com o fidalgo espanhol... (PÔLIA, *sorrindo, sai.*)

PIÔTR — (*Acompanhando-a com o olhar.*) Que é isso de fidalgo espanhol?

TIÊTERIEV — Ela vê nele um homem saudável...

TATIANA — Ele se veste bem...

TIÊTERIEV — É alegre... Uma pessoa alegre é sempre simpática... Os canalhas raramente são alegres.

PIÔTR — Bom, se for por esse ponto de vista você é o maior malfeitor da terra...

TIÊTERIEV — (*Recomeçando a tirar do piano graves notas.*) Eu sou apenas um bêbado, nada mais. Você sabem

---

[2]Personagem da peça *Ruy Blas*, de Victor Hugo, publicada em 1838.

por que na Rússia existem tantos bêbados? Porque é cômodo ser um bêbado. Aqui no nosso país, amam-se os bêbados. Os inovadores, os homens corajosos, esses são odiados, mas os bêbados são amados. Pois é sempre mais confortável amar uma porcaria, um lixo qualquer, do que algo bom, grandioso...

PIÔTR — (*Perambulando pela sala.*) No nosso país... no nosso país... Como isso soa estranho! A Rússia por sinal é nossa? Minha? Sua? O que somos nós afinal? Quem somos nós?

TIÊTERIEV — (*Canta.*) Somos pássaros liiivres...

TATIANA — Teriênti Khrisánfovitch! Pare de tocar, por favor... está parecendo até música de velório!

TIÊTERIEV — (*Continuando.*) Estou só acompanhando o clima... (TATIANA *sai irritada da sala em direção ao saguão.*)

PIÔTR — (*Pensativamente.*) É... Você... pare mesmo com isso, dá nos nervos... Eu acho que quando um francês ou um inglês diz "França" ou "Inglaterra", ele necessariamente quer dizer com estas palavras algo real, tangível... algo que lhe é compreensível... Já eu digo "Rússia" e sinto que para mim esse é um som vazio. E eu não tenho nenhuma possibilidade de atribuir a esta palavra qualquer conteúdo preciso que seja. (*Pausa.* TIÊTERIEV *continua tocando.*) Há muitas palavras que pronunciamos por costume, sem sequer pensar no que está por trás delas... "Vida"... "Minha vida"... Qual é o verdadeiro peso dessas duas palavras...? (*Cala-se e continua caminhando.* TIÊTERIEV, *tamborilando de leve as teclas do piano, preenche a sala com o som estridente das cordas e, com um sorriso impassível nos lábios, acompanha a fala de* PIÔTR.) Foi o demônio que me fez participar daquelas agitações idiotas! Fui para a universidade estudar e estava estudando... pare de fazer esse barulho, por favor! Não senti nenhum regime me impedindo de estudar o direito romano, não senti... não! De coração, não senti! Sentia, isso sim, era o clima de camaradagem... e cedi a ele. E assim perdi dois anos da minha vida... pois é! É uma agressão! Uma agressão contra mim, não é verdade? Eu pensava que iria terminar os estudos, que seria um jurista, que iria trabalhar... ler, observar... viver!

TIÊTERIEV — (*Observa ironicamente.*) E para o consolo dos pais, servir fielmente a igreja e a pátria... e a sociedade...

PIÔTR — Sociedade? É justamente isso que eu odeio! Ela só aumenta a pressão sobre o indivíduo, mas não dá a ele a possibilidade de desenvolver-se corretamente, sem entraves... "A pessoa precisa ser um cidadão acima de tudo", foi o que a sociedade gritou para mim, escondida atrás dos meus companheiros. E eu fui um cidadão... O diabo que os carregue... Eu... não quero... não sou obrigado a me submeter às exigências da sociedade! Eu sou um indivíduo! Um indivíduo livre... escute aqui! Pare com isso... com esse diabo desse barulho...

TIÊTERIEV — Estou acompanhando você... pequeno-burguês, que por meia hora foi um cidadão.

(*Ouvem-se sons no saguão atrás da porta.*)

PIÔTR — (*Irritado.*) Você... não caçoe de mim!

(TIÊTERIEV, *com um ar de desafio para* PIÔTR, *continua a fazer barulho no piano. Entram* NIL, ELIÊNA, CHÍCHKIN, TSVETÁIEVA *e atrás deles* TATIANA.)

ELIÊNA — O que significa esse barulho pavoroso? Olá, senhor antissocial! Olá, quase promotor! O que estão fazendo aqui?

PIÔTR — (*Carrancudo.*) Bobagens...

TIÊTERIEV — Estou tocando uma marcha fúnebre para este homem, que privou o mundo de sua existência tão precocemente...

NIL — (*Para* TIÊTERIEV.) Escute! Queria pedir uma coisa para você! (*Sussurra algo ao ouvido de* TIÊTERIEV, *que meneia a cabeça.*)

TSVETÁIEVA — Ah, senhores! Como foi interessante o ensaio!

ELIÊNA — Promotor! Você não imagina com que insistência o tenente Bíkov tentava me cortejar!

CHÍCHKIN — Está mais para bezerro esse seu Bíkov...[3]

PIÔTR — Por que é que você presume que me interessa saber quem e como lhe cortejaram?

ELIÊNA — Ai, você está de mau humor?

TSVETÁIEVA — O Piôtr Vassílievitch está sempre de mau humor.

[3] Sobrenome derivado de *byk*, "boi"; daí o trocadilho com a palavra "bezerro".

CHÍCHKIN — É o estado constante de seu temperamento.

ELIÊNA — Tánietchka![4] E você, está como sempre tristonha como uma noite de outono?

TATIANA — Sim, como sempre...

ELIÊNA — Já eu estou extremamente contente! Meus senhores, me digam: por que estou sempre contente?

NIL — Eu me recuso a responder: eu mesmo estou sempre contente, também!

TSVETÁIEVA — Eu também...!

CHÍCHKIN — Eu, nem sempre, mas...

TATIANA — Constantemente...

ELIÊNA — Tánietchka! Já está até brincando? Que bom! E você, antissocial?! Responda para mim: por que sou tão contente?

TIÊTERIEV — Por ser a frivolidade em pessoa!

ELIÊNA — Cooomo? Tudo bem! Eu vou relembrá-lo dessas palavras quando você for declarar seu amor por mim!

NIL — Eu bem que comeria alguma coisinha... Daqui a pouco preciso ir para o serviço...

TSVETÁIEVA — Vai trabalhar a noite inteira? Pobrezinho!

NIL — A noite inteira e o dia seguinte também... Mas vou dar um pulo na cozinha para cumprimentar a Stepanida...

[4] Apelido carinhoso de Tatiana.

TATIANA — Vou falar com ela também... (*Sai com* NIL.)

TIÊTERIEV — (*Para* ELIÊNA.) Ahn... permita-me! Quer dizer que eu deveria me apaixonar por você?

ELIÊNA — Sim, seu insolente! Seu monstro sombrio! Sim, sim!

TIÊTERIEV — (*Afastando-se dela.*) Eu aceito... Não é muito difícil para mim... Eu já estive apaixonado uma época por duas moças de uma só vez e ainda por cima também por uma mulher casada...

ELIÊNA — (*Continuando a avançar em direção a ele.*) E no que deu...?

TIÊTERIEV — É desnecessário...

ELIÊNA — (*A meia-voz, apontando para* PIÔTR.) E com ele, no que deu? (TIÊTERIEV *ri. Ambos conversam em voz baixa.*)

CHÍCHKIN — (*Para* PIÔTR.) Escute, meu amigo. Você não me emprestaria um rublo por uns três dias? É que meu sapato está furado...

PIÔTR — Tome... Com esse já são sete...

CHÍCHKIN — Estou lembrado...

TSVETÁIEVA — Piôtr Vassílievitch! Por que você não participa dos nossos espetáculos?

PIÔTR — É que eu não sei tocar nada...

CHÍCHKIN — E você acha que nós sabemos?

TSVETÁIEVA — Você devia ir pelo menos ao ensaio. Os

soldadinhos são tão interessantes! Um deles, Chirkov, é tão engraçado! Ingênuo, simpático, sorri de um jeito tão meigo, tão tímido... não entende nada...

PIÔTR — (*Observando* ELIÊNA *de soslaio.*) Sabe, é que eu mal consigo imaginar como pode ser interessante uma pessoa que não entende nada.

CHÍCHKIN — Mas não tem só o Chirkov...

PIÔTR — Suponho que a companhia inteira seja a mesma coisa...

TSVETÁIEVA — Como você pode dizer essas coisas? Eu não consigo entender o que você pensa. Que é da aristocracia, por acaso?

TIÊTERIEV — (*Subitamente em voz alta.*) Eu não consigo ter pena...

ELIÊNA — Chhh...!

PIÔTR — Como vocês bem sabem, eu sou um pequeno--burguês...

CHÍCHKIN — Por isso é menos compreensível ainda essa sua relação com as pessoas mais humildes...

TIÊTERIEV — Ninguém nunca teve pena de mim...

ELIÊNA — (*A meia-voz.*) Mas será que você não sabe que se deve pagar o mal com o bem?

TIÊTERIEV — Não tenho nem notas altas, nem trocado...

ELIÊNA — Ai, fale mais baixo...!

PIÔTR — (*Tentando ouvir a conversa de* ELIÊNA *e* TIÊTE-

RIEV.) Mas continuo sem entender a troco de que vocês ficam fingindo que são solidários com as pessoas humildes...

TSVETÁIEVA — Nós não fingimos... Nós tentamos dividir algo com eles, na medida do possível...

CHÍCHKIN — E mais que isso... Nós simplesmente achamos agradável estar no meio deles... Eles são simples... perto deles tudo parece mais saudável... como na floresta. Para nós que vivemos enfurnados lendo livros é sempre bom dar uma refrescada...

PIÔTR — (*Insistentemente e com uma irritação disfarçada.*) Vocês gostam é de viver ilusões... Vocês se aproximam dos seus soldados com alguma intenção oculta... e patética, se me permitem dizer a verdade! E revigorar-se entre soldados, convenhamos...

TSVETÁIEVA — Mas não são só soldados! Você não sabe que nós também organizamos espetáculos no depósito de locomotivas...?

PIÔTR — Dá no mesmo. Eu estou dizendo que chamar essas suas... bagunças, essas futilidades de uma experiência intensa é um equívoco. E vocês estão convencidos de que estão contribuindo para o desenvolvimento do indivíduo... entre outras coisas... E isso é autoengano. Amanhã chega um oficial, um superior, dá na cara do seu indivíduo e arranca à força da cabeça dele tudo que vocês conseguiram infundir nela... Se é que conseguiram...

TSVETÁIEVA — Que desagradável ficar ouvindo essas coisas!

CHÍCHKIN — (*Sombrio.*) Pois é... Não é nada bom... Não é a primeira vez que as ouço e a cada vez gosto menos de ouvi-las... Um dia desses ainda vamos ter uma conversinha com você... para resolver isso de vez!

PIÔTR — (*Fria e preguiçosamente.*) Que medo! Mal posso esperar por esse encontro...

ELIÊNA — (*Gritando intensamente.*) Por que você fica fazendo tipo desse jeito? Senhores! Por que é que ele quer que o considerem mau?

PIÔTR — Pela originalidade, acho.

TSVETÁIEVA — É claro! Fica se exibindo! Todos os homens se exibem... para as mulheres. Um se faz de pessimista, o outro de Mefistófeles... Mas não passam de uns preguiçosos...

TIÊTERIEV — Disse pouco... mas disse tudo!

TSVETÁIEVA — Ora, você por acaso esperava elogios? Espere aí! Conheço vocês bem!

TIÊTERIEV — Esse assunto você conhece melhor que eu. Mas você por acaso saberia se é ou não necessário pagar o mal com o bem? Ou seja, trocando em miúdos: você considera que o bem e o mal tem o mesmo valor ou não?

TSVETÁIEVA — E lá vamos nós com seus paradoxos capengas!

CHÍCHKIN — Espere, não o atrapalhe! Isso é interessante.

Eu adoro ouvir o Tiêteriev, senhores! Contudo, de vez em quando ele consegue colocar uma pulga atrás da nossa orelha... E devemos confessar que os nossos pensamentos são mais banais e surrados que uma moeda de cinco copeques...

PIÔTR — Você é generoso demais... sempre distribuindo seus valores pessoais para todos...

CHÍCHKIN — Oras! É preciso dizer a verdade, meu caro! Até ao falar de bobagens é preciso ser sincero! Eu admito de uma vez que até hoje nunca disse uma única palavra que fosse original! E bem que eu queria, senhores!

TIÊTERIEV — Pois agora disse!

CHÍCHKIN — (*Animadamente.*) Mesmo? É mentira! E o que foi?

TIÊTERIEV — Disse, meu caro! É verdade... O que foi, você mesmo tem que descobrir.

CHÍCHKIN — Bom, saiu sem querer...

TIÊTERIEV — De propósito não sai nada original. Eu já tentei...

ELIÊNA — Então fale você, carrasco, sobre o bem e o mal!

CHÍCHKIN — Isso, faça uma divagação filosófica!

TIÊTERIEV — (*Fazendo uma pose.*) Veneráveis bípedes! Ao dizer que o mal se deve pagar com o bem, vocês se equivocam. O mal é uma qualidade intrínseca de vocês, e portanto de pouco valor. O bem foi inventando por vocês mesmos, por ele vocês pagaram um altíssimo preço, e por isso ele é uma preciosidade, uma coisa rara cuja beleza não é superada por nada na terra. Daí vem a conclusão que comparar o bem e o mal é desfavorável para vocês e inútil. O que eu digo para vocês é: com o bem só se deve pagar pelo bem. E jamais se deve dar mais do que se recebe, para não incentivar em quem recebe o sentimento de avareza. Pois o homem é mesquinho. Tendo uma vez recebido mais do que deveria receber, na vez seguinte ele irá pedir ainda mais. Mas tampouco se deve dar menos do que é necessário. Pois se você tentar enganar alguém na conta, lembre-se de que o homem é rancoroso! Ele dirá que você é um falido, deixará de respeitá-lo e na próxima vez já não fará o bem; dará apenas uma esmola. Irmãos! Sejam perfeitamente precisos ao pagar pelo bem que lhes é feito! Pois não há no mundo nada mais triste e repugnante que um homem que dá esmola ao seu próximo! Mas pelo mal, paguem com o mal, e centuplicado! Sejam terrivelmente generosos ao recompensar o mal que foi feito contra vocês pelo próximo! Se ao pedir um pão, ele responder a vocês com uma pedra, derrubem uma montanha de pedras sobre sua cabeça! (*TIÊTERIEV começa jocoso, aos poucos passa a um tom sério e termina seu discurso com força e convicção. Ao terminar, ele, caminhando pesadamente, afasta-se para um canto.*)

(*Um minuto de completo silêncio. Todos estão confusos, sentindo nas suas palavras algo pesado, porém franco.*)

ELIÊNA — (*Em voz baixa.*) Talvez você... tenha sofrido muito por causa das pessoas...

TIÊTERIEV — (*Mostrando os dentes.*) Mas isso me deu a alegre esperança de que elas com o tempo também sofram por minha causa... ou, melhor, sofram por mim...

NIL — (*Entra com uma tigela nas mãos e um pedaço de pão. Ao falar, toma cuidado para não derramar o conteúdo da tigela. Atrás dele entra TATIANA.*) Isso é tudo filosofia! Você, Tánia, tem o mau costume de fazer de bobeiras uma filosofia! Está chovendo, é uma filosofia. O dedo está doendo, outra filosofia. Sente cheiro de queimado, uma terceira. Quando eu ouço essas filosofias baseadas em bobagens, eu involuntariamente penso que afinal ser instruído não é útil para todo mundo...

TATIANA — Como você é... grosso, Nil!

NIL — (*Senta-se à mesa e come.*) Como assim, grosso...? Se você acha a vida enfadonha, arrume alguma coisa para fazer. Quem trabalha não fica entediado. Se é ruim ficar em casa, vá viver na aldeia para ensinar alguma coisa... ou então vá para Moscou, estudar...

ELIÊNA — Apoiado! Dê uma bronca nesse aqui também, (*Aponta para TIÊTERIEV.*) nesse aqui!

NIL — (*Olhando de soslaio.*) Esse aí é outra criatura! Quer ser um Heráclito...

TIÊTERIEV — Pode me chamar de Swift, se você conseguir...!

NIL — É honra demais para você!

PIÔTR — É sim, demais...!

TIÊTERIEV — Eu acharia bom...

TSVETÁIEVA — Que pretensioso...!

NIL — (*Olhando para a tigela.*) Não fique bravo... Mas o que... é que... a Pólia não está aqui? Quer dizer... ela já foi embora?

TATIANA — Foi ao teatro. Por quê?

NIL — Nada... eu só... estou perguntando...

TATIANA — E você precisa dela?

NIL — Não, não preciso... quer dizer, não preciso dela agora... no geral, sempre preciso... Diabos, me enrolei! (*Todos sorriem, menos* TATIANA.)

TATIANA — (*Insistindo.*) Para quê? Para que você precisa dela...? (NIL *continua comendo, sem responder.*)

ELIÊNA — (*Para* TATIANA, *rapidamente.*) Mas qual foi o motivo dele ter dado uma bronca em você? Diga!

TSVETÁIEVA — Sim, isso é interessante!

CHÍCHKIN — Eu também gosto do jeito como o Nil Vassílievitch passa um sermão...

PIÔTR — E eu do jeito dele comer...

NIL — Eu faço tudo muito bem...

ELIÊNA — Vamos, Tánia, fale!

TATIANA — Não quero...

TSVETÁIEVA — Ela nunca quer nada!

TATIANA — E o que você sabe? E se eu quiser... morrer?

TSVETÁIEVA — Ai, que horror!

ELIÊNA — Não gosto de falar de morte!

NIL — E o que se pode falar da morte antes dela chegar?

TIÊTERIEV — Essa é a filosofia genuína!

ELIÊNA — Vamos, senhores, para o meu quarto! Já está na hora, o chá no samovar já deve estar pronto há tempos...

CHÍCHKIN — Que bom bebericar um chá agora! E beliscar alguma coisa... pode ser?

ELIÊNA — É claro!

CHÍCHKIN — (*Apontando para* NIL.) Eu olho para ele e o invejo, esse pecador!

NIL — Não inveje, eu já acabei de comer! Vou com vocês, também, ainda tenho mais de uma hora de folga...

TATIANA — Seria melhor que você descansasse antes do serviço...

NIL — Pois é isso mesmo que eu vou fazer...

ELIÊNA — Piôtr Vassílievitch! Vamos?

PIÔTR — Se você permitir...

ELIÊNA — Permito benevolentemente! Dê-me sua mão...

TSVETÁIEVA — Formem pares. Nil Vassílievitch, venha comigo...

CHÍCHKIN — (*Para* TATIANA.) Então você vem comigo...

TIÊTERIEV — E dizem que na terra há mais mulheres que homens. Eu, porém, vivi em muitas cidades e sempre senti falta de damas...

ELIÊNA — (*Sorrindo, vai até a porta e canta.*) *Allons, enfants de la patriiiie!*

CHÍCHKIN — (*Empurrando* PIÔTR *pelas costas.*) Vá mais depressa, filho da pátria...!

(*Saem ruidosamente, cantando e rindo. A sala permanece vazia por alguns segundos. Depois a porta do quarto dos velhos abre-se e sai* AKULINA IVÁNOVNA *que, bocejando, apaga a luz. Ouve-se a voz do velho, lendo monotonamente um salmo em seu quarto. No escuro, a velha esbarra nas cadeiras e volta para o quarto.*)

(*Cortinas.*)

# Ato II

*O mesmo cômodo. Um dia de outono, ao meio-dia. À mesa está sentado o velho* BES-SIÊMENOV. TATIANA *caminha lenta e silenciosamente de um lado para o outro.* PIÔTR, *junto ao peitoril, olha pela janela.*

BESSIÊMENOV — Eu falo o tempo inteiro com vocês... meus filhinhos queridos, mas pelo visto eu não uso as palavras certas para tocar os seus corações... Um me ouve de costas, a outra fica de lá para cá como um passarinho no poleiro.

TATIANA — Vou me sentar... (*Senta-se.*)

PIÔTR — (*Voltando-se para o pai.*) Mas diga de uma vez: o que você quer de nós?

BESSIÊMENOV — Quero entender que tipo de pessoas são vocês... Desejo saber quem é você.

PIÔTR — Espere! Eu vou responder... você vai entender, vai ver. Espere até eu terminar os estudos...

BESSIÊMENOV — Pois bem... Os estudos... Pois estude! Porque estudar você não estuda... só se faz de importante. O que você aprendeu foi a desdenhar de todas as criaturas vivas, mas não aprendeu a medir os seus atos. Foi expulso da universidade. E você acha que foi injustamente? Está enganado. O estudante deve ser discípulo, e não... mestre de sua vida. Se cada rapaz de vinte anos quiser começar a colocar ordem nas coisas... aí tudo vai virar uma bagunça... e não vai sobrar lugar no mundo para um homem de negócios. Estude, domine o seu negócio, e só então comece a ter ideias... Porque antes disso qualquer um tem pleno direito de mandá-lo calar a boca quando você começar a falar de suas ideias. E eu não falo isso por mal, mas de coração... por você ser meu filho, sangue do meu sangue e tudo mais. Para o Nil eu não digo nada... mesmo tendo também por ele me esforçado muito, embora ele seja meu filho adotivo... mas ainda assim, ele não é sangue do meu sangue. E quanto mais diferente é o sangue, mais distante ele é de mim. Eu estou vendo que ele vai ser um canalha qualquer... um ator ou qualquer outra coisa desse gênero... Talvez vire até socialista... Isso mesmo, esse é que é o destino dele!

AKULINA IVÁNOVNA — (*Espiando pela porta, com uma voz lamuriosa e amedrontada.*) Pai! Não está na hora de almoçar?

BESSIÊMENOV — (*Severamente.*) Saia daqui! Não se meta aonde não deve... (AKULINA IVÁNOVNA *some por detrás da porta.* TATIANA *lança um olhar de censura ao pai, ergue-se da cadeira e recomeça a perambular pela sala.*) Vocês viram? A sua mãe não para de defender vocês um minuto sequer... está sempre com medo de que eu os ofenda... Eu não quero ofender ninguém... Eu é que me ofendo com vocês, profundamente...! Ando na minha própria casa tomando cuidado, como se o chão estivesse todo coberto de cacos de vidro... Até as visitas dos meus velhos amigos eu parei de receber: "Você", eles dizem, "tem filhos educados, enquanto nós somos pessoas simples e eles ainda por cima riem de nós!". E vocês por diversas vezes riram deles enquanto eu morria de vergonha de vocês. Todos os meus amigos me abandonaram, como se ter filhos educados fosse uma praga. E enquanto isso vocês não prestam atenção nenhuma no seu pai... nunca conversam com ele de maneira gentil, nunca dizem a ele o que passa pela cabeça de vocês, o que pretendem fazer. Eu sou um estranho para vocês... Mas eu amo vocês...! Amo! Vocês entendem o que significa o amor? Você foi expulso, e eu sofri com isso. A Tatiana continua solteira, e isso me incomoda... até mesmo me envergonha diante dos outros. Como pode a Tatiana ser pior do que tantas outras que conseguem se casar e tudo mais...? Eu quero ver você, Piôtr, um homem e não um estudante... O filho do Filipp Nazárov, por exemplo... terminou os estudos, casou-se, recebeu dote, está ganhando dois mil por ano... E está prestes a virar membro da câmara...

PIÔTR — Espere... eu também vou me casar...

BESSIÊMENOV — É, estou vendo! Por você seria amanhã mesmo... Mas justo com quem? Com essa sirigaita, com essa mulherzinha devassa... e viúva, ainda por cima! Ha!

PIÔTR — (*Começando a enervar-se.*) O senhor não tem o direito de falar... isso dela!

BESSIÊMENOV — Isso o quê? Viúva ou devassa?

TATIANA — Papai! Por favor... por favor, deixe isso para lá! Piôtr... Saia...! Ou então cale-se! Eu estou ouvindo calada! Ouçam... Eu não entendo nada... Pai...! Quando o senhor fala, eu sinto que o senhor tem razão! Sim, tem razão, eu sei! Acredite, eu... sinto de verdade! Mas a sua forma de pensar é diferente da nossa... da minha e da dele... entende? Nós já temos a nossa... Mas espere, não se irrite! São duas maneiras de pensar, papai...

BESSIÊMENOV — (*Erguendo-se de um salto.*) É mentira! Só existe uma maneira de pensar! A minha maneira! Qual é a de vocês? Onde está a de vocês? Me mostrem!

PIÔTR — Pai, não grite! Eu também devo dizer que... sim! Você tem razão... Mas a sua maneira de pensar é muito estreita para nós... Ela ficou pequena demais para nós, apertada como uma roupa que já não cabe mais. E isso nos oprime, nos sufoca... Os princípios pelos quais você viveu já não servem mais para nós...

BESSIÊMENOV — Pois bem! Vocês... são vocês! São muito... instruídos... e eu sou um imbecil! Vocês...

TATIANA — Não é isso, papai! Não é assim...

BESSIÊMENOV — É assim, sim! Vocês recebem convidados... fazem barulho o dia inteiro... não se pode dormir à noite. Você fica de namoricos com essa tal hóspede bem na minha cara... Você está sempre amuada... mas eu... sua mãe e eu ficamos enfiados num canto...

AKULINA IVÁNOVNA — (*Irrompendo na sala, grita lamuriosamente.*) Meus queridos! Eu também... Meu querido! Eu por acaso estou falando alguma coisa? Eu também estou num canto...! Num canto, largada! Mas parem de brigar! Não atormentem um ao outro... meus amados!

BESSIÊMENOV — (*Puxando-a com uma mão mas repelindo--a com a outra.*) Saia daqui, sua velha! Eles não precisam de você. Não precisam de nós dois! Eles são letrados...! Nós somos estranhos para eles...

TATIANA — (*Geme.*) Que tortura! Que... tortura...!

PIÔTR — (*Pálido, em desespero.*) Entenda, pai... isso é uma estupidez! Uma estupidez! Assim de repente, sem mais nem menos...

BESSIÊMENOV — De repente? Mentira! Não foi de repente... há anos isso vem corroendo meu peito...!

AKULINA IVÁNOVNA — Piétia, pare com isso! Não brigue...! Tánia... tenha pena do seu pai!

BESSIÊMENOV — Estupidez? Estúpido é você! Isso é terrível, não é uma estupidez! De repente... Éramos pai e filhos... e de repente são duas maneiras de pensar... vocês são uns animais!

TATIANA — Piôtr, saia! Acalme-se, pai... estou pedindo...

BESSIÊMENOV — Vocês são cruéis! Nos envergonharam... Do que é que se orgulham? O que é que fizeram? Nós vivemos! Trabalhamos... construímos uma casa... para vocês... erramos... erramos e muito, talvez. E por vocês!

PIÔTR — (*Grita.*) Mas eu pedi para você... fazer tudo isso?

AKULINA IVÁNOVNA — Piôtr! Por favor...

TATIANA — Vá para lá, Piôtr! Eu não consigo, eu vou embora... (*Cai prostrada sobre a cadeira.*)

BESSIÊMENOV — Ah! Vocês fogem... da verdade, como o diabo foge da cruz... Pesou a consciência!

NIL — (*Escancarando as portas do saguão, para na soleira da porta. Acaba de chegar do trabalho. Seu rosto está escuro, enegrecido pela fumaça, coberto de fuligem, e suas mãos também estão sujas. Veste uma jaqueta curta completamente ensebada, amarrada com um cinto. Calça um sujo par de botas que vão até os joelhos. Com a mão estendida, diz:*) Alguém me dê depressa uma moeda de vinte copeques, para pagar o carregador! (*Sua aparição inesperada e o ressoar repentino de sua calma voz acabam instantaneamente com o barulho da sala e por alguns segundos todos permanecem em silêncio, observando-o imóveis. Ele percebe a tensão e, compreendendo o que se passa, com um sorriso pesaroso, diz:*) Ah...! Estão em guerra de novo!

BESSIÊMENOV — (*Grita asperamente.*) Você, seu grosseirão! Está pensando que chegou aonde?

NIL — Ahn? Aonde?

BESSIÊMENOV — De chapéu! Esse chapéu...

AKULINA IVÁNOVNA — É isso mesmo, o que é isso? Chega todo sujo e vai entrando desse jeito... o que é isso!

NIL — Mas me dêem logo os vinte copeques.

PIÔTR — (*Entrega o dinheiro e diz a meia-voz.*) Venha para cá, depressa...

NIL — (*Sorrindo.*) Quer ajuda? Vai ser difícil! Já venho!

BESSIÊMENOV — Vejam só! Olhem só para ele...! Também faz tudo de supetão, sem pensar... Também andou aprendendo por aí... certas coisas... Não tem respeito por nada neste mundo...

AKULINA IVÁNOVNA — (*Imitando o tom do marido.*) Realmente... Que travesso! Tánia, vá... vá até a cozinha... até a cozinha! E pergunte a Stepanida do almoço...

(TATIANA *sai.*)

BESSIÊMENOV — (*Sorrindo desanimadamente.*) Pois bem, e o Piôtr, você vai mandar ir aonde? Mas você...! Velha estúpida! Como você é estúpida... Entenda, eu não sou nenhum animal! É com dor no coração... por amor a eles... e com sinceridade que eu grito... mas não por maldade. Por que você leva os dois para longe de mim?

AKULINA IVÁNOVNA — É que eu sei... meu querido! Eu sei de tudo isso... e fico com pena deles! Nós dois somos velhos, é isso que nós somos! O que sobrou para nós? Meu Deus! Para que nós servimos? Eles têm que viver! Eles são nossos queridos, ainda vão sofrer muito pela mão de outros...

PIÔTR — Pai, é verdade, você... se irrita à toa... Você está imaginando coisas...

BESSIÊMENOV — Eu tenho medo! Esses tempos são... tempos terríveis! Tudo parece se desfazer, tudo parece prestes a desmoronar... a vida é conturbada...! Temo por você... Que algo de repente aconteça... E então quem vai nos sustentar na velhice? Você é o nosso apoio... O Nil, você... vê só como é...? E esse corista... esse tal Tiêteriev... também! Afaste-se deles! Eles... não gostam de nós! Veja!

PIÔTR — Basta, basta! Não vai acontecer nada comigo... Pois bem, eu vou esperar mais um pouco... e depois vou apresentar o requerimento...

AKULINA IVÁNOVNA — Mas apresente depressa, Piêtia, tranquilize seu pai...

BESSIÊMENOV — Eu acredito em você, Piôtr, quando você fala desse jeito... de maneira ponderada, séria... Acredito que você vai viver sua vida tão bem quanto eu vivi... Mas algumas vezes...

PIÔTR — Ora, vamos parar com isso! Chega... Pensem bem, nós fazemos essas cenas o tempo todo!

AKULINA IVÁNOVNA — Meus queridos!

BESSIÊMENOV — Mas e a Tatiana...? Devia largar essa escola... De que isso serve para ela? É só aborrecimento...

PIÔTR — Sim, ela precisa descansar...

AKULINA IVÁNOVNA — Ah, se precisa!

NIL — (*Entra já trocado, usando um blusão azul, mas ainda sem se lavar.*) Vamos almoçar logo ou não vamos?
(PIÔTR, *ao ver* NIL, *sai rapidamente pelo saguão.*)

BESSIÊMENOV — Você devia primeiro lavar essa sua fuça, e só depois perguntar da comida.

NIL — Bom, minha fuça não é muito grande, eu lavo em um segundo. O fato é que eu estou com uma fome de leão! Enfrentei chuva, vento, frio, aquela locomotiva velha que não funciona direito... Estou exausto hoje, completamente sem forças! O supervisor da ferrovia é que devia dar uma volta nesse tempinho e com aquela locomotiva...

BESSIÊMENOV — Continue tagarelando! Pelo visto ultimamente você anda muito atrevido ao falar dos chefes... Alguém ainda vai se dar mal!

NIL — Os chefes não vão se dar mal...

AKULINA IVÁNOVNA — O pai não está falando deles, mas de você.

NIL — Ah, de mim...

BESSIÊMENOV — Isso mesmo, de você!

NIL — Ah...!

BESSIÊMENOV — Pare de dizer "ah" e escute...

NIL — Estou escutando...

BESSIÊMENOV — Você virou um presunçoso...

NIL — Faz tempo?

BESSIÊMENOV — Não ouse falar comigo desse jeito! Que língua!

NIL — Mas eu só tenho essa língua (*Colocando a língua para fora, aponta para ela.*), e eu a uso para falar com todo mundo...

AKULINA IVÁNOVNA — (*Erguendo com espanto os braços.*) Mas que sem-vergonha você é! Para quem você acha que está mostrando essa língua?

BESSIÊMENOV — Espere, mãe, pare! (*AKULINA IVÁNOVNA, balançando a cabeça em sinal de reprovação, sai.*) Você... seu espertinho! Eu quero conversar com você...

NIL — Depois do almoço?

BESSIÊMENOV — Agora!

NIL — Seria melhor depois do almoço! É sério, eu estou com fome, cansado e morrendo de frio... por gentileza, vamos adiar a conversa! E além disso, o que é que o senhor poderia me falar? Vai brigar comigo... e não me agrada brigar com você... seria melhor se... dissesse logo... que... não me aguenta mais... e que quer que eu...

BESSIÊMENOV — Ora, então vá para o inferno! (*Vai para seu quarto e bate a porta atrás de si com toda a força.*)

NIL — (*Resmunga.*) Excelente! Melhor para o inferno que com você... (*Cantarola baixinho enquanto anda pela sala. TATIANA entra.*) Brigaram de novo?

TATIANA — Você nem imagina...

NIL — Ah, se imagino! Imagino perfeitamente... Encenaram uma cena dramática de uma comédia interminável chamada "Nem isso, nem aquilo"...

TATIANA — Para você é fácil falar! Você consegue ficar de fora...

NIL — Eu consigo é afastar de mim todo essa lenga-lenga. E em breve vou afastar de uma vez por todas, para sempre... Vou me transferir para o setor de montagem ou para o depósito... Estou farto de passar as noites conduzindo trens de carga! Se ainda fosse de passageiros! Ou o expresso postal, pelo menos! Apitando, cortando o ar! A todo vapor! Mas desse jeito, sozinho com a fornalha... é um tédio! Eu adoro é estar entre as pessoas...

TATIANA — Mas de nós você foge...

NIL — Sim... e desculpe por falar a verdade! Mas vou continuar fugindo! Eu adoro viver, adoro o barulho, o trabalho, as pessoas simples, alegres! Vocês por acaso vivem? É como se vagassem sem rumo pela vida. Por algum motivo desconhecido ficam se lamentando, reclamando... e de quem? Por quê? Para quem? Eu não entendo.

TATIANA — Você não entende?

NIL — Não mesmo! Se uma posição está desconfortável para alguém, este alguém muda de posição. Agora, se é a vida que é desconfortável, ele somente se queixa... Você tem que fazer um esforço, mudar a situação!

TATIANA — Sabe, um filósofo disse que apenas os idiotas acham que a vida é simples!

NIL — Os filósofos, pelo visto, são peritos em idiotice. Já eu não me considero inteligente... Eu apenas considero viver com vocês insuportavelmente enfadonho. E eu penso assim porque vocês adoram reclamar de tudo e de todos. Para que reclamar? Quem vai ajudar vocês? Ninguém vai ajudar... Ninguém sequer se importa...

TATIANA — Desde quando você é assim insensível, Nil?

NIL — E isso é ser insensível?

TATIANA — É ser até cruel... Eu acho que quem contaminou você foi o Tiêteriev, que por algum motivo odeia todo mundo.

NIL — Bom, nem todo mundo... (*Ri.*) Você não acha que esse tal Tiêteriev é parecido com um machado?

TATIANA — Um machado? Como assim um machado?

NIL — Um machado comum, de ferro, com cabo de madeira...

TATIANA — Não, pare com essas piadas! Não é necessário... Sabe... É bom conversar com você... Você é tão agradável... Só é um pouco... desatencioso...

NIL — Com o quê?

TATIANA — Com as pessoas... Comigo, por exemplo...

NIL — Hum... Certamente, não com todo mundo.

TATIANA — Comigo...

NIL — Com você? Pois é... (*Ambos fazem silêncio. NIL observa suas botas. TATIANA olha para ele esperando alguma coisa.*) Sabe... Eu... Quer dizer... você, eu... (*TATIANA faz um movimento em direção a NIL sem perceber nada.*) considero muito... e amo. Só uma coisa não me agrada. Por que você é professora? É algo que você não faz com a alma, é algo que cansa você, que irrita você. E é uma coisa muito séria! Porque essas criancinhas são as pessoas do futuro... É preciso saber valorizá-las, saber amá-las. É necessário amar o que se faz, para fazer bem. Sabe, eu amo profundamente a forja. Você tem na sua frente aquela massa vermelha, disforme, feroz, ardente... Bater nela com um martelo é um deleite para mim! Ela cospe em você pedaços incandescentes, crepitando... Ela quer cegar você, queimar os seus olhos, puxá-los para fora. Ela é viva, maleável... E então você bate nela com toda a força, formando com ela o que for necessário...

TATIANA — Para isso é preciso ser forte...

NIL — E ágil...

TATIANA — Escute, Nil... Você às vezes não tem dó...?

NIL — De quem?

ELIÊNA — (*Entra.*) Vocês já almoçaram? Não? Venham comer comigo, então, por favor! Eu assei uma torta...! Onde está o promotor? É uma torta maravilhosa!

NIL — (*Aproximando-se de* ELIÊNA.) Eu vou! Ah, eu vou comer essa torta maravilhosa inteira! Estou morrendo de fome, não me dão comida, e de propósito! Ficaram nervosos comigo aqui por algum motivo...

ELIÊNA — Foi certamente por causa da língua... Tánia, vamos!

TATIANA — Vou só avisar a mamãe... (*Sai.*)

NIL — Como você sabe que eu mostrei a língua para o meu pai?

ELIÊNA — O quêêê? Eu não sei de nada! Como assim?

NIL — Bom, eu não vou falar disso... É melhor você me falar da torta maravilhosa.

ELIÊNA — Eu vou acabar descobrindo! Já sobre a torta... sabe, quem me ensinou a fazer essa torta foi um dos detentos, um condenado por assassinato. Meu marido tinha permitido que ele ajudasse na cozinha. Era um pobrezinho, tão magrinho...

NIL — Seu marido?

ELIÊNA — Meu caro! Meu marido tinha um e noventa e cinco...

NIL — Um *e* noventa e cinco, assim baixinho?

ELIÊNA — Cale-se! E tinha uns bigodes assim longos (*Mostra com os dedos como eram os bigodes.*), de uns quinze centímetros de comprimento...

NIL — É a primeira vez que eu ouço falar de um homem cujas qualidades se medem em centímetros!

ELIÊNA — É, uma pena realmente! Ele não tinha mesmo nenhuma outra qualidade além dos bigodes!

NIL — Que tristeza! Continue a falar da torta...

ELIÊNA — Ele era cozinheiro, o tal detento... Tinha matado a mulher... Mas eu gostava muito dele... Parece que ele a matou de um jeito...

NIL — Eu, por sinal... consigo entender!

ELIÊNA — Mas que coisa! Não quero mais conversar com você. (*TATIANA, entrando pela porta, olha para eles. Pela outra porta entra* PIÔTR.) Promotor! Venha comigo... vamos comer uma torta...!

PIÔTR — Com prazer!

NIL — Hoje o papai deu uma bronca nele pela falta de respeito...

PIÔTR — Ora, pare com isso...

NIL — Eu ainda fico surpreso: como ele decide ir com você sem pedir permissão?

PIÔTR — (*Olhando para a porta do quarto dos velhos, agitado.*) Se é para ir, então vamos!

TATIANA — Vão andando, eu já vou...

(NIL, PIÔTR *e* ELIÊNA *saem.* TATIANA *vai até seu quarto, mas neste momento, vinda do quarto dos velhos, ouve-se a voz de* AKULINA IVÁNOVNA.)

AKULINA IVÁNOVNA — Tánia!

TATIANA — (*Para, encolhendo impacientemente os ombros.*) O quê?

AKULINA IVÁNOVNA — (*Na porta.*) Venha aqui! (*Quase sussurrando.*) O que houve, o Petruchka foi de novo com aquela lá?

TATIANA — É... e eu também vou...

AKULINA IVÁNOVNA — Ai, mas que desgosto! Essa sirigaita fica tentando o nosso Piêtia! Estou vendo...! Você é que devia conversar com ele. Devia falar para ele: irmãozinho, afaste-se! Ela não serve para você... É o que você devia dizer para ele! E ela só tem de dinheiro os três mil da pensão do marido... que eu sei!

TATIANA — Mamãe, pare com isso! A Eliêna não presta nenhuma atenção no Piôtr...

AKULINA IVÁNOVNA — É de propósito! De propósito! Essa danada o atiça... Ela só faz de conta que não se interessa por ele... mas está sempre atrás dele, como um gato atrás de um rato...

TATIANA — Ai...! Mas o que eu tenho a ver com isso! O que eu tenho a ver? Fale você com ele... e me deixe em paz! Entenda: eu estou cansada!

AKULINA IVÁNOVNA — Mas você não precisa falar com ele agora... Espere, vá deitar, descanse...

TATIANA — (*Quase gritando.*) Eu não tenho onde descansar! Eu estou permanentemente cansada... cansada para sempre! Você entende? Para o resto da vida... me cansei de vocês... de tudo! (*Sai rapidamente para o saguão.* AKULINA IVÁNOVNA *faz um movimento em direção à filha, como se quisesse contê-la, mas, erguendo consternadamente os braços, continua no mesmo lugar, perplexa e de boca aberta.*)

BESSIÊMENOV — (*Olhando pela porta.*) Outra briga?

AKULINA IVÁNOVNA — (*Agitada.*) Não, não foi nada... Só que...

BESSIÊMENOV — O quê? Ela disse algum desaforo para você?

AKULINA IVÁNOVNA — (*Apressadamente.*) Não, não foi nada disso, como assim? Eu disse para ela que... estava na hora do almoço! E ela disse que não queria comer! E eu disse: como assim não quer? E ela...

BESSIÊMENOV — Você está se enrolando, mãe!

AKULINA IVÁNOVNA — É verdade!

BESSIÊMENOV — Quantas vezes você mente para mim por causa deles? Olhe nos meus olhos... Não consegue... não é? (*AKULINA IVÁNOVNA permanece diante do marido, cabisbaixa e em silêncio. Ele também continua calado, cofiando pensativamente a barba. Depois, suspirando, fala:*) É, foi em vão que tentamos protegê-los ao mandá-los estudar...

AKULINA IVÁNOVNA — (*Em voz baixa.*) Chega, pai! Hoje em dia as pessoas simples não são muito melhores...

BESSIÊMENOV — Nunca é necessário dar aos filhos mais do que você mesmo tem... Para mim é ainda pior, porque não vejo neles... nenhum caráter... nada desse gênero... nenhuma força... Em cada pessoa deveria haver algo particular... Mas eles... É como se não tivessem personalidade! Veja o Nil... é um impertinente... um calhorda. Mas é um homem de personalidade! É perigoso... mas é compreensível... Hehehe...! Eu, por exemplo, quando era jovem, adorava a música da igreja... adorava pegar cogumelos... Mas o Piôtr, o que é que ele ama?

AKULINA IVÁNOVNA — (*Timidamente, suspirando.*) Está com a inquilina...

BESSIÊMENOV — Está vendo...! Mas espere! Eu vou... dar um jeito nela! (*Entra TIÊTERIEV, com uma aparência mais sonolenta e mais sombria que de costume. Segura uma garrafa de vodca e um copo.*) Teriênti Khrisánfovitch! Andou bebendo de novo?

TIÊTERIEV — Foi ontem, depois da missa da noite...

BESSIÊMENOV — E a troco de quê?

TIÊTERIEV — Sem motivo. Vão almoçar agora?

AKULINA IVÁNOVNA — Já vou cuidar disso... (*Começa a arrumar a mesa.*)

BESSIÊMENOV — Mas você, Teriênti Khrisánfovitch, que é um homem inteligente... arruinando-se com essa vodca...!

TIÊTERIEV — Honorável pequeno-burguês, você mente! O que está me arruinando não é a vodca, mas sim a minha força... O excesso de força, essa é a minha ruína...

BESSIÊMENOV — Ora, força nunca é demais...

TIÊTERIEV — Mente outra vez! Hoje em dia, a força não é necessária. São necessárias a esperteza, a astúcia... É necessária a agilidade de uma cobra. (*Arregaçando as mangas, mostra o punho.*) Veja só, se eu bater com isso aqui na mesa, eu vou destruí-la em mil pedaços. Com essas mãos não há nada que eu possa fazer na vida. Posso partir lenha, mas tenho uma incrível dificuldade em escrever, por exemplo... Não tenho onde colocar toda essa força. Pelas minhas capacidades, eu poderia encontrar um lugar talvez em algum circo, numa tenda em que eu quebraria correntes de ferro, levantaria pesos... essas coisas. Mas eu estudei... Estudei e muito...

e por isso me expulsaram do seminário. Estudei e não quero viver assim à toa... Não quero que as pessoas, ao chegarem ao circo, olhem para mim com prazer, calmamente. Quero que todas elas olhem para mim sem nenhum prazer e sem nenhuma calma...

BESSIÊMENOV — Como você é venenoso...

TIÊTERIEV — Os animais da minha espécie não são venenosos, você não sabe nada de zoologia, mesmo. A natureza é astuta. Pois se à minha força fosse acrescentado veneno você não teria como fugir de mim, teria?

BESSIÊMENOV — Eu não tenho para onde fugir... estou em minha casa.

AKULINA IVÁNOVNA — Você deveria ficar em silêncio, pai.

TIÊTERIEV — É verdade! Você está em sua casa. A sua vida inteira é isso: a sua casa, a sua propriedade. E por conta disso eu não tenho onde morar, pequeno-burguês!

BESSIÊMENOV — Você vive à toa... para nada. Mas se você desejasse...

TIÊTERIEV — Não quero desejar nada, isso me seria repugnante. Para mim é mais nobre beber até morrer do que viver trabalhando para você e outros do seu tipo. Você consegue, pequeno-burguês, me imaginar sóbrio, vestido decentemente e falando com você com aquele linguajar submisso dos seus criados? Não, não consegue... (PÔLIA *entra e, ao ver* TIÊTERIEV, *recua. Ele, ao notá-la, abre um amplo sorriso e, meneando a cabeça, fala, puxando-a pelo braço.*) Olá! Não tenha medo... Não vou falar mais nada para você... pois já sei de tudo!

PÓLIA — (*Confusa.*) O quê...? Você não tem condições de saber de nada...

AKULINA IVÁNOVNA — Ah, chegou! Então, venha cá, fale para a Stepanida trazer a sopa de repolho...

BESSIÊMENOV — Já está na hora... (*Para TIÊTERIEV.*) Eu adoro ouvir os seus raciocínios... Especialmente quando se tratam de você mesmo. Mas tente olhar para si mesmo: você é terrível! E basta você começar a proferir seus tais pensamentos para eu sentir as suas fraquezas... (*Dá uma discreta risada de satisfação.*)

TIÊTERIEV — Eu também gosto de você. Pois você é igualmente inteligente e estúpido; igualmente bom e mau; igualmente honrado e vil, covarde e corajoso... É um pequeno-burguês exemplar! Personifica com perfeição a vulgaridade... essa força que prevalece mesmo sobre os heróis e persiste, persiste até triunfar... vamos, vamos beber um pouco antes da sopa, honorável rato!

BESSIÊMENOV — Se trouxerem nós bebemos. Mas para que afinal você tanto me insulta...? Não precisa ofender as pessoas sem ter motivo... Para fazer as pessoas se interessarem por aquilo que você fala é preciso se colocar de maneira amigável, coerente... mas se você com as suas palavras ofender as pessoas, ninguém vai querer ouvi-lo, e quem o ouvir é um idiota!

NIL — (*Entrando.*) Pólia chegou?

TIÊTERIEV — (*Dando risinhos.*) Chegou...

AKULINA IVÁNOVNA — E por que você quer saber dela?

NIL — (*Sem responder, para* TIÊTERIEV.) Hehe! Encheu a cara? De novo? Ultimamente vem acontecendo bastante...

TIÊTERIEV — É melhor beber vodca do que o sangue das pessoas... Ainda mais que o sangue das pessoas de hoje em dia é ralo, nojento, sem gosto... Não sobrou muito sangue saudável e saboroso, já sugaram tudo...

(PÔLIA *e* STEPANIDA *voltam.* STEPANIDA *traz uma tigela.* PÔLIA, *um prato com carne.*)

NIL — (*Aproximando-se dela.*) Olá! Já tem a resposta?

PÔLIA — (*A meia-voz.*) Não agora... na frente de todo mundo...

NIL — Por isso mesmo! Por que ter medo?

BESSIÊMENOV — Quem?

NIL — Eu... e ela aqui...

AKULINA IVÁNOVNA — O que é que foi?

BESSIÊMENOV — Não estou entendendo...

TIÊTERIEV — (*Sorrindo.*) Mas eu estou entendendo... (*Enche o copo com vodca e bebe.*)

BESSIÊMENOV — O que está acontecendo? Qual é o problema, Pôlia?

PÔLIA — (*Constrangida, em voz baixa.*) Nada...

NIL — (*Sentando-se à mesa.*) É segredo... Um segredo nosso!

BESSIÊMENOV — Se é segredo, então falem disso em algum canto, não na frente das pessoas. Devo dizer que isso parece alguma brincadeira de mau gosto... Dá até vontade de ir embora de casa! Ficam com essas trocas de sinais, com mistérios, tramando coisas... E eu fico aqui com cara de idiota, sem entender nada... Mas eu quero saber, Nil, o que afinal eu sou para você?

AKULINA IVÁNOVNA — Mas convenhamos, Nil, o que é isso...?

NIL — (*Calmamente.*) O senhor é o meu pai adotivo... Mas não tem motivo para ficar irritado, ficar inventando histórias... Não aconteceu nada de mais...

PÔLIA — (*Levantando-se da mesa, à qual acabara de se sentar.*) Nil... Vassílievitch fez... disse que... ontem à noite... perguntou...

BESSIÊMENOV — Perguntou o quê...? Hein?

NIL — (*Calmamente.*) Não a assuste... Eu perguntei se ela quer se casar comigo... (BESSIÊMENOV *olha admiradamente para ele e para* PÔLIA, *segurando a colher no ar.* AKULINA IVÁNOVNA *também fica imóvel em seu lugar, pasma.* TIÊTERIEV *olha para a frente, piscando pesadamente os olhos. Sua mão, repousada sobre seu joelho, está trêmula.* PÔLIA *está completamente cabisbaixa.* NIL *continua a falar.*) E ela me disse que iria responder hoje... Bom, é isso...

TIÊTERIEV — (*Balançando os braços.*) Muito... simples... e mais nada...

BESSIÊMENOV — Pois é... Realmente... é muito simples!

(*Amarguradamente.*) E é também bastante moderno... bastante original! Mas também... O que é que eu poderia dizer...?

AKULINA IVÁNOVNA — Você é um infeliz, um infeliz! Que cabeça de vento você tem...! Não passou pela sua cabeça falar conosco antes...?

NIL — (*Irritado.*) Por que diabos eu comecei com isso?!

BESSIÊMENOV — Deixe para lá, mãe! Não é assunto nosso! Coma e fique quieta. Que eu também vou me calar...

TIÊTERIEV — (*Ainda mais bêbado.*) Mas eu vou falar... Embora eu tenha ficado quieto até agora...

BESSIÊMENOV — Isso... É melhor que todos fiquem quietos. Mas mesmo assim, Nil... eu não sinto muita gratidão da sua parte pela minha acolhida... Faz tudo às escondidas...

NIL — Pela sua acolhida eu paguei com trabalho e vou continuar pagando, mas submeter-se à sua vontade eu não posso. Você queria me casar com aquela tal Sedova idiota, só porque o dote era de dez mil. E para que eu preciso dela? A Pôlia eu amo... Amo há tempos e nunca escondi isso de ninguém. Vivi sempre abertamente e vou sempre viver assim. Não há motivo para vocês me reprovarem, não há motivo para vocês se ofenderem comigo.

BESSIÊMENOV — (*Contendo-se.*) Certo, certo! Muito bem... Qual o problema? Casem-se. Nós não vamos impedir. Mas com que recursos vocês vão viver? Se não é segredo, então digam.

NIL — Vamos trabalhar. Eu vou me transferir para o depósito... E ela... também vai fazer alguma coisa. Você vão receber de mim trinta rublos por mês, como sempre.

BESSIÊMENOV — Veremos. Prometer é fácil...

TIÊTERIEV — Pequeno burguês! Faça-o assinar uma promissória! Faça!

BESSIÊMENOV — Faça o favor de não se intrometer nesse assunto...

AKULINA IVÁNOVNA — Pois é... que belo conselheiro!

TIÊTERIEV — Não, faça-o assinar! Mas não vai fazer, a sua consciência vai pesar... Nil, assine lá: "Comprometo-me a pagar mensalmente.".

BESSIÊMENOV — Eu até poderia fazer isso. E bem que eu tenho motivos, creio eu. Desde os dez anos dando comida, bebida, roupa, sapatos... até os vinte e sete... Pois é...

NIL — Não é melhor fazermos as contas depois, não agora?

BESSIÊMENOV — Pode ser depois também. (*Subitamente inflamando-se.*) Mas lembre-se, Nil, de que de agora em diante nós somos... inimigos! Essa ofensa eu não vou perdoar, não posso perdoar! Saiba disso!

NIL — Mas que ofensa? Que ofensa é essa? O senhor não esperava que eu fosse me casar com você, esperava?

BESSIÊMENOV — (*Grita, sem ouvir.*) Lembre-se! Humilhar aqueles que alimentaram você... fazer isso sem a nossa autorização... sem o nosso conselho... em segredo...

E você! Aceita isso! Não fala nada! Por que abaixa assim a cabeça? Hein? Fica quieta? Você sabe que com você eu posso...

NIL — (*Pulando da cadeira.*) Não pode nada! Chega de toda essa gritaria! Eu também sou senhor dessa casa. Trabalhei por dez anos, entregando o meu salário para vocês. Aqui, nesse lugar (*Bate com o pé no chão e com um amplo gesto aponta o cômodo ao redor.*), eu pus muita coisa! Dono da casa é aquele que trabalha... (*Enquanto NIL fala, PÔLIA levanta-se e sai. Junto à porta encontra-se com PIÔTR e TATIANA. PIÔTR, depois de dar uma espiada na sala, sai de cena. TATIANA fica parada na soleira da porta, segurando o batente.*)

BESSIÊMENOV — (*Arregalando aturdidamente os olhos para NIL.*) Cooomo? Você, dono da casa?

AKULINA IVÁNOVNA — Vamos sair daqui, pai! Vamos sair... por favor, vamos sair! (*Ameaçando NIL com o punho.*) Você, Nilka! Você... espere só! (*Entre lágrimas.*) Você espere... você vai ver só!

NIL — (*Insiste.*) É isso mesmo, dono da casa é aquele que trabalha... Lembrem-se disso!

AKULINA IVÁNOVNA — (*Puxando o marido.*) Vamos, meu velho! Vaaamos! Que Deus os abençoe...! Não diga nada, não grite! Quem é que vai nos ouvir?

BESSIÊMENOV — (*Cedendo aos esforços da mulher.*) Pois bem! Fique sendo... o dono da casa! Vamos ver... quem é o dono da casa! Veremos! (*Vai para o seu quarto.*)

(NIL *anda agitadamente de um lado para o outro pela sala. Em algum lugar na rua, ao longe, ouve-se o som de um realejo.*)

NIL — Mas como criam caso! Mas por que diabos eu fui pedir isso a ela...? Imbecil! Eu realmente não consigo esconder nada... sem querer todo mundo fica sabendo de tudo! Que coisa...

TIÊTERIEV — Que nada! Foi uma cena muito interessante. Eu ouvi e vi tudo com muito prazer. Nada mal, nada mal! Não se enerve, amigo! Você tem muitos talentos... você pode fazer sempre o papel de herói. Em algum momento o herói tem sempre que aparecer... acredite em mim! Hoje em dia podemos dividir as pessoas em heróis, ou seja, idiotas, e em calhordas, ou seja, pessoas inteligentes...

NIL — A troco de que eu fiz a Pôlia passar por essa... patifaria...? Ela se assustou... não, ela não é medrosa! Mas se ofendeu, certamente... ora bolas!

(TATIANA, *ainda parada junto à porta, ao ouvir o nome de* PÔLIA *faz um movimento. O som do realejo vai se afastando.*)

TIÊTERIEV — É muito cômodo dividir as pessoas em idiotas e canalhas. Há canalhas aos montes! Eles vivem, meu amigo, como se fossem animais, acreditam somente na força bruta... que não é a minha força, essa força que tenho em meu peito e em minhas mãos, mas sim a de ser ardiloso, traiçoeiro... Essa é a razão para os animais.

NIL — (*Sem ouvir.*) Agora vamos ter que apressar o casamento... Bom, vamos apressar... E ela ainda nem me respondeu. Mas eu sei o que ela vai dizer... minha queridinha...! Como eu odeio essas pessoas... essa casa... toda essa vida... essa vida podre! Aqui são todos uns... monstros! Ninguém sente que a vida aqui vai se deteriorando, vai se resumindo a ninharias... que para eles a vida se tornou uma prisão, um castigo, uma infelicidade... Como eles conseguem fazer isso? Eu não entendo! Mas uma coisa eu sei: odeio as pessoas que estragam a vida...

(*TATIANA dá um passo adiante e para. Depois vai em silêncio até o baú e senta-se nele, num canto. Ela se encolhe, parecendo ainda menor e mais infeliz.*)

TIÊTERIEV — Os idiotas é que acham a vida bela. Mas eles são poucos. Estão sempre procurando algo de que não precisam... ou pelo menos algo que não é necessário não somente para eles... Adoram imaginar planos para a felicidade geral e outras bobagens do gênero. Querem determinar o início e o fim de tudo que existe. Mas em geral só fazem idiotices...

NIL — (*Pensativo.*) Sim, idiotices! Nisso eu sou perito... Ela é mesmo mais sensata do que eu... Ela também ama a vida... E de um jeito cuidadoso, tranquilo... Sabe, nós vamos viver muito bem juntos! Nós dois somos corajosos... e quando queremos alguma coisa, nós sempre conseguimos! Sim, juntos conseguimos... Ela é tão... ingênua... (*Sorri.*) Vamos viver maravilhosamente bem!

TIÊTERIEV — O idiota pode passar a vida inteira admirando-se com o fato do vidro ser transparente, enquanto o canalha faz uma garrafa com o vidro...

(*Ouve-se novamente o realejo, dessa vez mais perto, quase sob a janela.*)

NIL — Mas você só fala de garrafas, hein?!

TIÊTERIEV — Não, estou falando de idiotas. O idiota fica se perguntando "onde estará o fogo antes de o acendermos? Para onde irá depois de apagado?". O canalha fica sentado junto ao fogo e se aquece...

NIL — (*Pensativo.*) É... se aquece...

TIÊTERIEV — Mas na realidade, ambos são estúpidos. Mas um é estúpido de maneira admirável, heroica, enquanto o outro o é de maneira obtusa, miserável. Ambos, embora por caminhos diferentes, chegam ao mesmo lugar: ao túmulo, e somente ao túmulo, meu amigo... (*Gargalha.* TATIANA *balança a cabeça em silêncio.*)

NIL — (*Para* TIÊTERIEV.) Como assim?

TIÊTERIEV — Estou brincando... O idiota que continua vivo olha para seu colega morto e pergunta a si mesmo: "Onde estará ele?". O canalha simplesmente herda os bens do falecido e toca sua vida adiante, sossegado, satisfeito, confortável... (*Gargalha.*)

NIL — Você pelo visto bebeu bastante... Já está na hora de ir para o seu quarto, hein?

TIÊTERIEV — Então me mostre onde ele fica.

NIL — Ora, perdeu o juízo?! Quer que eu leve você?

TIÊTERIEV — Você, meu amigo, não pode me levar. E falando em juízo, não estou do lado nem do réu... nem da vítima. Estou por conta própria. Sou a prova cabal do crime! A vida está realmente deteriorada... Mal costurada... não foi feita na medida dos homens de bem, é o que eu digo. Os pequeno-burgueses deixaram-na estreita, apertada, encurtaram-na demais... E eu sou a prova cabal de que o homem não tem motivo algum para viver...

NIL — Vamos andando, vamos!

TIÊTERIEV — Me largue! Você acha que eu vou cair? Eu já caí, seu tolo! Faz teeempo! Eu, por sinal, pensava em me levantar, até que você passou por mim e, sem perceber, sem querer, novamente me derrubou! Não precisa me ajudar, vá fazer as suas coisas! Vá, eu vou parar de me lamentar... Você é saudável, é digno de ir aonde quiser, como quiser... Eu, decadente que sou, vou acompanhá-lo com um olhar de aprovação. Vá!

NIL — Mas o que você está falando? É interessante, de certa forma... Mas incompreensível...

TIÊTERIEV — E não é para entender, mesmo! Não precisa! Algumas coisas é melhor não entender, porque compreendê-las é inútil... Vá, vá logo!

NIL — Tudo bem, eu vou embora. (*Vai para o saguão, sem perceber* TATIANA, *encolhida no canto.*)

TIÊTERIEV — (*Cumprimentando-o a distância.*) Desejo-lhe sorte, seu ladrão! Você sem sequer perceber levou embora minha última esperança e... Ah, o diabo que a carregue! (*Vai até a mesa, onde deixara a garrafa, e percebe no canto da sala a figura de* TATIANA.) Mas quem é que está aí?

TATIANA — (*Em voz baixa.*) Sou eu...
(*O som do realejo para subitamente.*)

TIÊTERIEV — Você? Hum... e eu achei... parecia que era...

TATIANA — Não, sou eu...

TIÊTERIEV — Entendi... Mas por quê? Por que você está aí?

TATIANA — (*Em voz não muito alta, mas clara e distinta.*) Porque eu não tenho motivo algum para viver... (TIÊTERIEV *caminha silenciosamente em direção a ela.*) Eu não sei por que estou tão cansada, tão triste... mas estou terrivelmente triste, você entende? Eu só tenho vinte e oito anos... tenho vergonha, asseguro a você que tenho muita vergonha de me sentir assim... tão fraca, tão insignificante... Dentro de mim, no meu peito... há um vazio... Está tudo seco, tudo se apagou, é o que eu sinto e isso me dói... Aconteceu assim... sem que eu percebesse... esse vazio cresceu dentro de mim... Mas por que eu estou dizendo isso justo para você...?

TIÊTERIEV — Eu não entendo... Estou muito bêbado... Não entendo nada...

TATIANA — Ninguém fala comigo do jeito que eu queria... de que eu gostaria... eu tinha a esperança de que ele fosse falar... Esperei por um bom tempo, em silêncio... Mas essa vida... de brigas, de vulgaridades, de ninharias... essa pressão... tudo isso me abateu de tal forma... De mansinho, aos poucos foi me abatendo... E agora não tenho mais forças para viver... Não tenho forças nem para me desesperar... Comecei a ter medo... agora... de repente... fiquei com medo...

TIÊTERIEV — (*Balançando a cabeça, afasta-se dela em direção à porta e, abrindo-a, fala, enrolando a língua.*) Maldita seja essa casa...! E mais nada...

(TATIANA *vai lentamente para o seu quarto. Por um minuto a sala permanece vazia e silenciosa. Rapidamente, andando com cuidado, entra* PÔLIA *e, atrás dela,* NIL. *Eles passam pelas janelas sem dizer nada e, diante delas,* NIL *pega a mão de* PÔLIA *e, a meia-voz, fala:*)

NIL — Peço que me desculpe pelo que aconteceu... foi tudo tão estúpido, tão desagradável... É que eu não consigo ficar quieto quando eu quero falar!

PÔLIA — (*Quase sussurrando.*) Tanto faz... agora não faz mais diferença! O que todos eles vão pensar de mim? Tanto faz...

NIL — Eu sei que você me ama... Eu vejo... Eu não vou perguntar para você. Você é engraçada! Ontem me disse: "Vou responder amanhã, preciso pensar!". Que coisa curiosa! Pensar em quê? Se você me ama...

PÔLIA — Pois é, pois é... E já faz tempo...

(TATIANA *sai de fininho de seu quarto, para ao lado das cortinas e ouve.*)

NIL — Nós vamos viver muito bem, você vai ver! Você é uma companhia tão agradável... Você não tem medo de passar necessidades... Vamos superar as dificuldades...

PÔLIA — (*Com simplicidade.*) Com você o que se pode temer? E eu sou assim: sozinha não fico com medo... Fico tranquila...

NIL — E é persistente também... É forte, não se dobra... Pois é... Eu estou feliz... Porque eu sabia que seria assim, mas estou feliz... e muito!

PÔLIA — Eu também já sabia de tudo antes...

NIL — É? Sabia? Que bom... Ah, como é bom viver nesse mundo! Não é bom?

PÔLIA — É bom... meu querido amigo... meu adorado...

NIL — Como é bom ouvir você dizer isso... É maravilhoso!

PÔLIA — Bom, chega de me elogiar... Precisamos ir embora... Precisamos ir embora... Alguém pode chegar...

NIL — Eles que venham...!

PÔLIA — Não, precisamos ir...! Bom... me dê só mais um beijo!

(*Escapando dos braços de* NIL, *ela passa correndo por* TATIANA, *sem percebê-la.* NIL, *seguindo-a com um sorriso nos lábios, vê* TATIANA *e para diante dela, surpreso com sua presença e indignado. Ela continua calada, olhando para ele com olhos mortos, com um sorriso torto nos lábios.*)

NIL — (*Com desprezo.*) Estava ouvindo? Espionando? Mas você, hein?! (*Sai rapidamente.*)

(TATIANA *continua imóvel, petrificada. Ao sair,* NIL

*deixa a porta do saguão aberta e na sala ouve-se o áspero grito do velho* BESSIÊMENOV: *"Stepanida! Quem é que esparramou essas brasas? Não está vendo? Recolha isso!"*)

(*Cortinas.*)

# Ato III

*O mesmo cômodo. De manhã.* STEPANIDA *tira o pó dos móveis.*

AKULINA IVÁNOVNA — (*Lavando a louça do chá.*) A carne hoje não está muito gorda, então você faça o seguinte: do assado de ontem, deve ter sobrado um pouco de gordura. Coloque-a na sopa de repolho... Que ela vai ficar um pouco mais grossa... Está ouvindo?

STEPANIDA — Estou...

AKULINA IVÁNOVNA — Já a vitela você frita. Só não coloque muita banha na panela... Eu comprei cinco libras na quarta-feira e quando fui olhar ontem, não tinha sobrado nem uma libra...

STEPANIDA — Então, acabou...

AKULINA IVÁNOVNA — Eu sei que acabou... Olha quanto tem no seu cabelo... Está lambuzado...

STEPANIDA — Será que não dá para você sentir pelo cheiro que eu uso óleo de lamparina no cabelo?

AKULINA IVÁNOVNA — Ah, deixa para lá... (*Pausa.*) Aonde a Tatiana mandou você hoje de manhã?

STEPANIDA — Na farmácia... Buscar amoníaco... "Vá lá", ela disse, "e compre para mim vinte copeques de amoníaco"...

AKULINA IVÁNOVNA — Pelo visto, está com dor de cabeça... (*Suspirando.*) Toda hora está doente...

STEPANIDA — Vocês deviam arranjar um marido para ela... Tenho certeza de que ficaria boa bem depressa...

AKULINA IVÁNOVNA — Não é lá muito fácil casar uma moça hoje em dia... E instruída... é mais difícil ainda...

STEPANIDA — Se você der um bom dote, até uma instruída aceita...

(PIÔTR *espia de seu quarto e sai de cena.*)

AKULINA IVÁNOVNA — Meus olhinhos não terão a alegria de ver esse dia... A Tánia não quer casar...

STEPANIDA — Onde já se viu não querer... e na idade dela...

AKULINA IVÁNOVNA — Pois é, pois é... Quem é que visitou a inquilina aí em cima ontem?

STEPANIDA — Um tal professor... um ruivo.

AKULINA IVÁNOVNA — É aquele que a mulher largou...?

STEPANIDA — Isso, isso, é ele! E também um coletor de impostos... um meio... magrinho, de cara amarela...

AKULINA IVÁNOVNA — Sei! É casado com a sobrinha do comerciante Pímenov... Dizem que ele tem tuberculose...

STEPANIDA — Eu, hein... Dá para notar...

AKULINA IVÁNOVNA — E o corista, também esteve lá?

STEPANIDA — E não só o corista, o Piôtr Vassílievitch também... O corista ficou cantando aos berros... por umas duas horas... Parecia um boi mugindo...

AKULINA IVÁNOVNA — E o Piêtia voltou a que horas?

STEPANIDA — Ah, já estava clareando quando eu abri a porta para ele...

AKULINA IVÁNOVNA — Ora, ora...

PIÔTR — (*Entra.*) Stepanida, termine isso logo e saia...

STEPANIDA — Já vou... Eu também quero terminar logo...

PIÔTR — Se é assim então faça mais e fale menos. (STEPANIDA *bufa e sai.*) Mamãe! Eu já pedi mais de uma vez para você conversar menos com ela... Não é nada bom ficar de conversas com a cozinheira, entenda de uma vez por todas! Fazer esses interrogatórios com ela não é nada bom!

AKULINA IVÁNOVNA — (*Ofendida.*) Quer dizer então que agora é você que determina com quem eu posso conversar? Comigo e com o seu pai você não se digna a conversar, então me deixe pelo menos falar com a criada...

PIÔTR — Mas entenda, você não tem nada que falar com ela! Porque além desses mexericos você não vai ouvir nada de útil dela!

AKULINA IVÁNOVNA — E de você o que é que eu vou ouvir? Há seis meses você está morando aqui, mas você não se sentou nenhuma vez para conversar com a sua mãe, por uma hora que fosse... Não conta nada para ela... Sobre como é a vida em Moscou, como...

PIÔTR — Escute...

AKULINA IVÁNOVNA — E quando começa a falar é um desgosto só... Isso não é assim, aquilo está errado... Trata a sua mãe como se fosse uma menininha, começa a dar lições, reprimendas, ri de mim... (PIÔTR, *balançando as mãos, sai rapidamente em direção ao saguão.* AKULINA IVÁNOVNA *acompanha-o com os olhos.*) Viu só quanto tempo conversou comigo...! (*Enxuga os olhos com a ponta do avental e soluça.*)

PERTCHÍKHIN — (*Entra, usando um casaco rasgado, de cujos buracos assomam pedaços sujos de algodão, com um barbante amarrado na cintura, de alpargatas e chapéu de pele.*) Qual o motivo do mau humor? Você ofendeu o Petrukha por acaso? Porque ele passou voando como um gavião, sem nem me notar... sequer me cumprimentou. A Pôlia está aqui?

AKULINA IVÁNOVNA — (*Suspirando.*) Está na cozinha, picando repolho...

PERTCHÍKHIN — Os pássaros é que são organizados! O passarinho mal ganha penas e já sai voando pelas quatro bandas... sem qualquer ajuda do pai ou da mãe... Não teria sobrado um chazinho para mim?

AKULINA IVÁNOVNA — Você pelo visto aplica a organização dos pássaros à sua vida, não é?

PERTCHÍKHIN — Exatamente, isso mesmo! E faço bem!

Eu não tenho nada, não atrapalho ninguém... É como se eu vivesse no ar, e não na terra.

AKULINA IVÁNOVNA — (*Com desdém.*) Mas também ninguém respeita você. Aqui, beba... só que o chá está um pouco frio... e um pouco fraco...

PERTCHÍKHIN — (*Colocando o copo contra a luz.*) É, não está muito forte mesmo... Mas obrigado, pelo menos o copo está cheio! Quanto mais grosso, maior a chance da gente atolar, não é...? Quanto ao respeito, façam a gentileza: não me respeitem... Porque eu mesmo não respeito ninguém...

AKULINA IVÁNOVNA — E quem é que precisa do seu respeito? Ninguém...

PERTCHÍKHIN — E que bom que seja assim...! Eu tenho a impressão de que as pessoas da terra conseguem seu pão tirando-o da boca uns dos outros. Já eu consigo meu sustento dos ares... dos pássaros dos céus... meu negócio é mais honesto!

AKULINA IVÁNOVNA — Mas então, sai logo o casamento?

PERTCHÍKHIN — De quem? O meu, por um acaso? Por essas florestas ainda não chegou uma ave sequer que queira fazer seu ninho comigo! Talvez já esteja tarde demais... Quando ela chegar, eu já estarei morto...

AKULINA IVÁNOVNA — Pare de falar essas bobagens e diga logo: quando é que você vai conceder a mão?

PERTCHÍKHIN — Mas de quem?

AKULINA IVÁNOVNA — Da sua filha! Como se você não soubesse!

PERTCHÍKHIN — Da minha filha? Quando ela quiser, eu concedo... se eu tiver a quem conceder...

AKULINA IVÁNOVNA — Faz tempo que eles começaram com isso?

PERTCHÍKHIN — O quê? Quem?

AKULINA IVÁNOVNA — Mas não se faça de palhaço! Ela deve ter falado pelo menos para você...

PERTCHÍKHIN — Falado o quê?

AKULINA IVÁNOVNA — Do casamento...

PERTCHÍKHIN — Casamento de quem?

AKULINA IVÁNOVNA — Ora, pare com isso! Deveria ter vergonha de ficar se fazendo de bobo nessa idade!

PERTCHÍKHIN — Mas espere! Não se irrite... Somente me diga: do que você está falando?

AKULINA IVÁNOVNA — Dá desgosto falar com você...

PERTCHÍKHIN — E você insiste... Já está falando há tempos e não diz nada com nada...

AKULINA IVÁNOVNA — (*Secamente, com inveja.*) Quando você vai casar a Pôlia com o Nil?

PERTCHÍKHIN — (*Dá um salto, admirado.*) O quê?! Com o Nil...?

AKULINA IVÁNOVNA — Será possível que ela realmente

não disse nada para você? Mas que gente é essa...! O próprio pai...

PERTCHÍKHIN — (*Alegremente.*) Mas como assim? Está brincando? Nil? Mas com mil demônios! É verdade? Que diabos! Com a minha Polka![5] Isso já virou quadrilha, já não é mais polca... Não, você está mentindo! Essa é boa! E eu achando que o Nil iria se casar com a Tatiana... É verdade! Tinha-se a impressão de que seria com a Tatiana...

AKULINA IVÁNOVNA — (*Ofendida.*) Até parece que alguém aqui iria deixar que ele se casasse com a Tatiana! Nós precisamos mesmo... de um facínora desses...

PERTCHÍKHIN — Você está falando do Nil? Como assim?! Eu... se tivesse dez filhas daria a mão de todas elas ao Nil de bom grado! Nil? Ele é... Ele conseguiria sozinho alimentar umas cem pessoas! O Nil? Haha!

AKULINA IVÁNOVNA — (*Ironicamente.*) Estou vendo que ele vai ter um belo sogro! Um sogro e tanto!

PERTCHÍKHIN — Sogro? Opa! E esse sogro não vai querer montar em ninguém... Puxa! Dá até vontade de dançar de tanta alegria! Agora eu sou um homem livre! Agora eu vou começar a viver de verdade! Ninguém mais vai me ver... Direto para a floresta, lá se foi o Pertchíkhin! A Pôlia? Eu antes pensava... como a minha filha vai viver? Eu ficava até com vergonha... Colocar no mundo eu coloquei, mas não posso dar mais nada além disso...!

---

[5] Versão ainda mais informal e ligeiramente depreciativa do apelido Pôlia. Daí o trocadilho subsequente.

Mas agora... agora eu... vou embora, para onde eu quiser! Vou caçar o pássaro de fogo, vou até os confins do mundo!

AKULINA IVÁNOVNA — Como assim vai embora?! Ninguém foge por causa de felicidade...

PERTCHÍKHIN — Felicidade? A minha felicidade é justamente ir embora... A Pôlia será feliz... será sim! Com o Nil? Ele é saudável, alegre, simples... Minha alma dança de alegria... e no meu peito parece que cotovias cantam! Mas como eu tenho sorte! (*Sapateando e cantarolando.*) Nossa Pôlia o Nil fisgou, muito bem se comportou. Arre! Que maravilha!

BESSIÊMENOV — (*Entra. Está de sobretudo e segura na mão um chapéu.*) Bêbado outra vez?

PERTCHÍKHIN — De alegria! Você ouviu? Da Pôlia? (*Sorri alegremente.*) Vai se casar com o Nil! Hein? Não é ótimo?

BESSIÊMENOV — (*Fria e duramente.*) Isso não nos diz respeito... Vamos ter a nossa parte...

PERTCHÍKHIN — E eu que sempre achei que o Nil queria se casar com a Tatiana...

BESSIÊMENOV — Como é?

PERTCHÍKHIN — É verdade! Porque visivelmente a Tatiana não é contra... E ela olhava para ele de um jeito tão... daquele jeito, sabe...? Bom, como costumam olhar quando é assim e tudo mais... hein? De repente...

BESSIÊMENOV — (*Calma e maliciosamente.*) Ouça o que

eu vou dizer a você, meu caro... Em primeiro lugar, mesmo sendo você um idiota, deveria saber que não se deve falar de uma dama de maneira tão baixa! (*Aumentando aos poucos o tom de voz.*) Em segundo lugar, para quem sua filha olhou, como sua filha olhou, quem olhou para ela, de que jeito, que tipo de mulher ela é: isso tudo não me interessa. Mas eu digo uma coisa: se ela se casar com o Nil, eles estão bem arranjados! Porque os dois não valem nada e, embora ambos devam muito a mim, eu daqui para a frente não dou a mínima para eles! E tem mais: nós podemos ser somente parentes distantes, mas olhe só para você! Quem é você? É um pé rapado! E me diga quem é que autorizou você a entrar nessa casa, limpa do jeito que está, todo roto desse jeito... com esses sapatos desse jeito e todo o resto?

PERTCHÍKHIN — Como assim? Vassíli Vassílievitch, o que você quer dizer com isso, meu amigo? Como se fosse a primeira vez que eu aparecesse desse jeito...

BESSIÊMENOV — Não sei quantas vezes foram e nem quero saber. Mas uma coisa eu sei: se é desse jeito que você aparece, quer dizer que você não tem nenhum respeito pelo dono desta casa. E eu repito: quem é você? Um mendigo, um inútil, um farrapo ambulante... Está ouvindo? É isso! Agora vá embora!

PERTCHÍKHIN — (*Aturdido.*) Vassíli Vassílievitch! Mas por quê? O que foi que eu fiz...?

BESSIÊMENOV — Fora! Pare com essa conversa...

PERTCHÍKHIN — Mas volte a si! Eu não fiz nada para...

BESSIÊMENOV — Eu já disse para ir embora… Senão…

PERTCHÍKHIN — (*Sai com pesar e uma reprimenda.*) Pois bem, velho! Eu tenho é pena de você! Adeus!

(BESSIÊMENOV, *endireitando-se, caminha silenciosamente pela sala, sombrio e carrancudo, pisando dura e pesadamente.* AKULINA IVÁNOVNA *lava a louça, acompanhando acanhadamente com o olhar o marido. Suas mãos tremem, os lábios sussurram algo.*)

BESSIÊMENOV — O que você está cochichando? Parece que está fazendo algum feitiço…

AKULINA IVÁNOVNA — Estou orando… Orando, pai…

BESSIÊMENOV — Sabe… Eu não vou conseguir chegar a prefeito! Estou vendo que não vou conseguir… Canalhas!

AKULINA IVÁNOVNA — Mas como assim? Ai, meu Deus… Mas por quê? Pode ser que ainda…

BESSIÊMENOV — O que pode ser? O tal Fiêdka Dossiêkin, dono da serralheria, já está de olho no cargo… Um moleque! Um fedelho!

AKULINA IVÁNOVNA — Mas ainda pode ser que ele não seja eleito… Não fique agoniado…

BESSIÊMENOV — Vai ser eleito… Tudo indica… Cheguei na câmara e fiquei só ouvindo… ele se gabando, tagarelando, falando que a vida é difícil, que nós precisamos ajudar um ao outro… Que é preciso fazer tudo coletivamente… E pela corporação, ele diz… Porque ele diz que hoje em dia só se fala em fábricas… Os artesãos não podem sobreviver por conta própria. Eu digo: os judeus é que são o problema! É preciso restringi-los! É sério: temos que nos queixar deles, para o governador, por não deixarem os russos viverem em paz, e persuadi--lo a exilar todos eles. (TATIANA *abre silenciosamente a porta e, sem fazer um ruído, cambaleando, vai para seu quarto.*) Aí ele, com aquele sorriso na cara, pergunta: "E onde é que se deve enfiar os russos que são piores que os judeus?". E começou a falar, com aquelas palavras escolhidas a dedo, fazendo alusões a meu respeito. Eu fingi que não entendi, mas percebi o que ele pretendia... aquele asqueroso! Fiquei ouvindo e depois fui embora. E pensei: "Você ainda vai se ver comigo"... Mas aí o Mikhailo Kriúkov, o estufeiro, chegou perto de mim... "Sabe", ele disse, "acho que o Dossiêkin vai ser eleito prefeito..." E sem nem olhar nos meus olhos, todo envergonhado... Eu já queria falar umas boas para ele, aquele Judas...

ELIÊNA — (*Entra.*) Olá, Vassíli Vassílievitch! Olá, Akulina Ivánovna...

BESSIÊMENOV — (*Secamente.*) Ah... é você? Entre, por favor... O que tem a dizer?

ELIÊNA — Vim trazer o dinheiro do aluguel.

BESSIÊMENOV — (*Mais amavelmente.*) Uma boa ação... Quanto temos aqui? Dois e cinquenta. Você ainda me deve quarenta copeques pelos dois vidros quebrados na janela do corredor. E também pela dobradiça da porta da despensa... que a sua cozinheira quebrou... bom, pelo menos uns vinte copeques...

ELIÊNA — (*Sorrindo.*) Mas como você é... preciso! Permita-me... Não tenho trocado... Tome, três rublos...

AKULINA IVÁNOVNA — Vocês também pegaram um saco de carvão... A sua cozinheira pegou.

BESSIÊMENOV — Quanto custa o carvão?

AKULINA IVÁNOVNA — O carvão custa trinta e cinco...

BESSIÊMENOV — No total dá noventa e cinco... Pegue o troco: dois rublos e cinco copeques. Com relação à precisão, minha cara dama, você falou corretamente. A precisão é que mantém o mundo... O próprio sol nasce e se põe com precisão, hoje e sempre... E se há ordem no céu, na terra então deve haver mais ainda... Pois observe a senhora mesma: quando chegou o dia do vencimento, você trouxe o dinheiro...

ELIÊNA — Eu não gosto de ficar devendo...

BESSIÊMENOV — E faz muito bem! Porque aí todos vão confiar em você...

ELIÊNA — Bom, até logo! Eu preciso ir...

BESSIÊMENOV — À vontade. (*Acompanha-a com o olhar e depois diz:*) Nada má a espertalhona! Mas mesmo assim eu a enxotaria de casa com muitíssimo prazer...

AKULINA IVÁNOVNA — Seria bom, pai...

BESSIÊMENOV — Bom, veremos... Por enquanto ela está aqui... Podemos seguir os passos dela. Se ela for embora, o Petruchka vai correndo atrás dela e aí pelas nossas costas vai ser mais fácil ela conseguir ludibriá-lo... É preciso também levar em conta que ela paga sempre em dia... E compensa qualquer dano ao quarto sem questionar... Pois é! Para o Piôtr... é claro que é perigoso... Muito perigoso...

AKULINA IVÁNOVNA — Talvez ele nem pense em se casar com ela... Mas simplesmente...

BESSIÊMENOV — Se nós tivéssemos certeza disso... não teríamos que falar sobre isso, não seria nem preciso se preocupar. Seria como se ele frequentasse uma casa de tolerância, só que bem aqui debaixo das nossas barbas... Ou até melhor...

(*Do quarto de* TATIANA *ouve-se um gemido rouco.*)

AKULINA IVÁNOVNA — (*Em voz baixa.*) Hein?

BESSIÊMENOV — (*Do mesmo jeito.*) O que é isso?

AKULINA IVÁNOVNA — (*Fala em voz baixa e olha nervosamente ao redor, como que tentando ouvir algo.*) Parece que é no saguão...

BESSIÊMENOV — (*Em voz alta.*) Deve ser um gato...

AKULINA IVÁNOVNA — (*Indecisa.*) Sabe, pai... Eu queria falar com você...

BESSIÊMENOV — Pois fale...

AKULINA IVÁNOVNA — Você não acha que foi duro demais com o Pertchíkhin? Afinal, ele é inofensivo...

BESSIÊMENOV — Se é inofensivo então não se ofendeu... Agora, se ele se ofendeu, não perdemos grande coisa...

Não é lá uma grande honra tê-lo como conhecido... (*O gemido repete-se, mais alto.*) Quem é? Mãe...

AKULINA IVÁNOVNA — (*Agitada.*) Eu não sei... Não sei mesmo... o que é isso?

BESSIÊMENOV — (*Correndo em direção ao quarto de PIÔTR.*) Será que é aqui? Piôtr!

AKULINA IVÁNOVNA — (*Corre atrás dele horrorizada.*) Piêtia! Piêtia... Piêtia...

TATIANA — (*Grita com voz rouca.*) Socorro... Mamãe... Socorro... Socorro...! (BESSIÊMENOV *e* AKULINA IVÁNOVNA *saem correndo do quarto de* PIÔTR *e correm em silêncio em direção ao grito. Param por um segundo junto às portas do quarto, sem se decidir a entrar. Depois lançam-se em direção à porta juntos. Ouvem-se os gritos de* TATIANA.) Queima... ah! Está doendo... quero água! Me dêem água...! Socorro...!

AKULINA IVÁNOVNA — (*Sai correndo do quarto, abre as portas do saguão e grita.*) Ah, meu Deus! Misericórdia... Piêtia...

(*Do quarto de* TATIANA *ouve-se a voz abafada de* BESSIÊMENOV: *"O que é isso... minha filhinha... o que é que você... o que você tem... filhinha..."*)

TATIANA — Água... Estou morrendo... Queima... Ah, meu Deus!

AKULINA IVÁNOVNA — Venham... Venham cá, pelo amor de Deus...

BESSIÊMENOV — (*Do quarto.*) Depressa, chamem... um médico...

PIÔTR — (*Entra correndo.*) O que foi? O que aconteceu?

AKULINA IVÁNOVNA — (*Pega-o pelo braço.*) A Tánia... está morrendo...

PIÔTR — (*Desvencilhando-se.*) Me largue... Me largue...

TIÊTERIEV — (*Vestindo uma jaqueta enquanto anda.*) É um incêndio, por acaso?

BESSIÊMENOV — O médico...! Chame um médico, Piôtr... Dê vinte e cinco rublos a ele...!

PIÔTR — (*Colocando a cabeça para fora do quarto de TATIANA, para TIÊTERIEV.*) Um médico! Vá buscar um médico... Diga que se envenenou... uma mulher... uma moça... com amoníaco... Depressa! Depressa!
(*TIÊTERIEV sai correndo em direção ao saguão.*)

STEPANIDA — (*Entra correndo.*) Ah, meu Deus... Meu Deus...

TATIANA — Piêtia... estou queimando! Estou morrendo...! Eu quero viver! Viver... Quero água!

PIÔTR — Quanto você tomou? Quando você bebeu? Diga...

BESSIÊMENOV — Minha filhinha... Tánietchka...

AKULINA IVÁNOVNA — O que é que você foi fazer, minha flor?!

PIÔTR — Mamãe, saia daqui... Stepanida, leve-a daqui...

Vamos, estou dizendo para sair... (ELIÊNA *entra correndo no quarto de* TATIANA.) Leve a mamãe...

(*Entra uma mulher, para junto às portas, dá uma olhada pela sala e cochicha algo.*)

ELIÊNA — (*Leva* AKULINA IVÁNOVNA *para fora pelo braço e resmunga.*) Não é nada... Não tem perigo...

AKULINA IVÁNOVNA — Minha queridinha! Filhinha... O que foi que eu fiz para ofendê-la? Para deixá-la brava?

ELIÊNA — Vai passar... Olhe só, é o médico... Ele vai ajudar... Ai, que desgraça!

MULHER — (*Segurando* AKULINA IVÁNOVNA *pelo outro braço.*) Não se lamente, mamãe! Acontece... Pois é, ela ficou doente... Lá na casa do comerciante Sitanov... um cavalo deu um coice nas costelas do cocheiro...

AKULINA IVÁNOVNA — Minha querida... O que é que eu vou fazer? Minha única filha...

(*Levam-na embora. No quarto de* TATIANA, *os gritos misturam-se à voz abafada do pai e às palavras nervosas e entrecortadas de* PIÓTR. *Ouvem-se os ruídos da louça batendo, da mesa caindo, da armação de ferro da cama rangendo, do travesseiro caindo levemente sobre o chão.* STEPANIDA *sai correndo do quarto, despenteada, de boca aberta e olhos arregalados, pega alguns pratos e xícaras do armário, quebra alguma coisa e novamente sai de cena. Do saguão, algumas caras espiam pela porta, mas ninguém se decide por entrar. Um jovem ajudante de pintor pula para dentro e, espiando pela porta do quarto de* TATIANA, *volta logo em seguida e anuncia num cochicho bem audível: "Está morrendo!". No pátio, ouve-se o som* de um realejo, que se extingue logo em seguida. Entre as pessoas no saguão há um vozerio: "Matou? Foi o pai... Ele disse para ela: 'Ei, olhe para mim...!' Foi na cabeça... Com quê, você sabe...? Mentira, ela cortou os pulsos..." Uma voz feminina pergunta: "É casada?". Alguém responde negativamente, estalando ruidosamente os lábios num lamento.)

MULHER — (*Sai do quarto dos velhos, passa pela mesa, mete um pãozinho embaixo do xale e, aproximando-se da porta, diz:*) Silêncio! Está nas últimas...!

VOZ MASCULINA — Qual é o nome?

MULHER — Lizaviêta...

VOZ FEMININA — Por que ela fez isso...?

MULHER — Pois então, parece que no dia da Assunção, ele disse para ela, a Lizaviêta, que...

(*Algo se move em meio à multidão. Entram o* MÉDICO *e* TIÊTERIEV. *O* MÉDICO, *de chapéu e casaco, entra e vai diretamente para o quarto de* TATIANA. TIÊTERIEV *espia pela porta e afasta-se, de semblante fechado. Do quarto de* TATIANA *ouve-se ainda uma mistura de vozes e gemidos. Do quarto dos velhos ouve-se um lamento de* AKULINA IVÁNOVNA, *que grita: "Deixem-me! Deixem-me ir até ela!". No saguão ouve-se um ruído abafado de vozes. Distinguem-se algumas exclamações: "É um homem sério... É o corista... Como? Juro... por São João Batista".*)

TIÊTERIEV — (*Aproximando-se da porta.*) O que vocês querem aqui? Vão embora! Ora!

MULHER — (*Também enfiando-se pela porta.*) Saiam, meus queridos... Vocês não têm nada com isso...

TIÊTERIEV — Quem é você? O que é que você quer...?

MULHER — Eu vendo legumes, senhor... Cebolinha, pepino...

TIÊTERIEV — Mas o que é que você quer?

MULHER — Eu estava indo, senhor, para a casa da Semiaguina... Ela é a minha comadre...

TIÊTERIEV — E? E o que é que você quer aqui?

MULHER — Eu estava passando... Ouvi um barulho... Pensei que fosse um incêndio...

TIÊTERIEV — E?

MULHER — E entrei... Entrei para ver a desgraça...

TIÊTERIEV — Dê o fora... Todos vocês! Fora do saguão...!

STEPANIDA — (*Sai correndo e diz para* TIÊTERIEV.) Traga um balde d'água... Traga logo!

(*Pela porta assoma a cabeça grisalha e atada com um pano de um velhinho que, piscando, diz a* TIÊTERIEV: *"Senhor! Ela afanou um pãozinho daqui da mesa de vocês..."* TIÊTERIEV *vai até o saguão, empurrando as pessoas para fora dele. Do saguão ouve-se um bater de pés, uma algazarra e o grito de um menino: "Ai, ai!" Alguém ri, alguém exclama em tom ofendido: "Cuidado, senhor!".*)

TIÊTERIEV — (*Fora de cena.*) Vão para o inferno! Rua!

PIÔTR — (*Olhando pela porta.*) Silêncio... (*Voltando-se para o quarto.*) Pai, vá ficar com a mamãe! Vá, vá logo! (*Grita em direção ao saguão.*) Não deixe entrar ninguém...!

(BESSIÊMENOV *sai, cambaleante. Senta-se em uma cadeira junto à mesa, com um olhar vazio e abobalhado. Depois, levanta-se e vai para seu quarto, de onde se ouve a voz de* AKULINA IVÁNOVNA.)

AKULINA IVÁNOVNA — Eu por acaso não a amava? Por acaso não cuidei dela?

ELIÊNA — Mas acalme-se... Minha querida...

AKULINA IVÁNOVNA — Pai! Querido...

(*A porta do quarto dos* BESSIÊMENOV *fecha-se, e não se ouve o fim da frase. A sala fica vazia. Ouvem-se ruídos provenientes dos dois lados: o som de vozes do quarto dos* BESSIÊMENOV; *um murmúrio abafado, gemidos e um vaivém do quarto de* TATIANA. TIÊTERIEV *traz um balde d'água, coloca-o junto à porta e bate nela cuidadosamente com os dedos.* STEPANIDA *abre a porta, pega o balde e também sai para a sala, secando o suor do rosto.*)

TIÊTERIEV — E então?

STEPANIDA — Parece que não é nada...

TIÊTERIEV — Foi o médico que disse isso?

STEPANIDA — Foi. Mas onde é que já se viu... (*Esfrega desesperadamente as mãos.*) Não deixam o pai e a mãe entrarem lá...

TIÊTERIEV — E ela está melhor?

STEPANIDA — Quem é que sabe? Não está mais gemendo, parou... Está toda verde... Os olhos arregalados... Está deitada, sem se mexer... (*Sussurra em tom de reprovação.*) Eu disse para eles... Mas quantas vezes eu não falei para arrumarem um marido para ela?! Arrumem um marido! Mas não ouviram... e agora deu no que deu! Ou será que é certo uma moça dessa idade sem marido...? E ainda por cima ela não acredita em Deus... Não quer rezar, não quer se benzer... Deu nisso!

TIÊTERIEV — Cale-se... sua gralha!

ELIÊNA — (*Entra.*) E então, como ela está?

TIÊTERIEV — Não sei... Parece que o médico disse que não tem perigo...

ELIÊNA — Os velhos estão abatidos... Que pena deles!
(TIÊTERIEV *ergue os ombros, sem dizer nada.*)

STEPANIDA — (*Sai correndo do quarto.*) Meu Deus! Esqueci a cozinha...

ELIÊNA — Mas por que isso? O que aconteceu com ela? Pobre Tánia... Como ela deve estar com dor... (*Franzindo o cenho e estremecendo.*) Será que dói? Muito? Horrivelmente?

TIÊTERIEV — Não sei. Eu nunca bebi amoníaco...

ELIÊNA — Como você pode brincar desse jeito?

TIÊTERIEV — Eu não estou brincando...

ELIÊNA — (*Aproxima-se da porta do quarto de* PIÔTR *e espia por ela.*) O Piê... O Piôtr Vassílievitch ainda está lá no quarto dela?

TIÊTERIEV — É evidente... Pois se ele não saiu de lá...

ELIÊNA — (*Pensativamente.*) Fico imaginando que efeito isso deve ter surtido nele...! (*Pausa.*) Quando eu... Quando acontece de eu ver... algo parecido com isso... Eu sinto dentro de mim um ódio pela infelicidade...

TIÊTERIEV — (*Sorrindo.*) Que louvável...

ELIÊNA — Você entende? Eu tenho vontade de pegá-la, jogá-la no chão e pisar em cima... E pronto, acabar com ela para sempre!

TIÊTERIEV — Com a infelicidade?

ELIÊNA — Isso mesmo! Eu não a temo, eu simplesmente a o-dei-o! Eu adoro viver de maneira alegre, variada, adoro ver muitas pessoas... E eu sei fazer as coisas para que tanto eu como as pessoas que estão ao meu redor possamos viver com facilidade, com alegria...

TIÊTERIEV — Igualmente louvável!

ELIÊNA — E quer saber o que mais? Vou confessar uma coisa para você... Eu sou muito dura... Sou rígida! Nem mesmo gosto de pessoas infelizes... Entende, há certas pessoas que estão sempre infelizes, não importa o que se faça com elas! Se você pudesse colocar o sol sobre a cabeça dessas pessoas em vez de um chapéu — e o que pode ser mais magnífico que isso? —, elas vão continuar se lamuriando e se lamentando: "Ai, eu sou tão infeliz! Sou tão solitário! Ninguém presta atenção em mim... A vida é sombria, é tediosa... Oh! Ah! Ai! Que pena..." Eu quando vejo um tipo desses, sinto uma vontade malévola de fazê-lo ainda mais infeliz...

TIÊTERIEV — Minha cara senhora! Eu também devo confessar algo... Eu não aguento quando as mulheres tentam filosofar, mas quando a senhora expõe seus pensamentos, tenho vontade de beijar-lhe a mão...

ELIÊNA — (*Maliciosa e caprichosamente.*) Apenas? Apenas quando eu exponho meus pensamentos...? (*Lembrando-se.*) Aiaiai! Estou aqui brincando... e falando bobagens, enquanto lá uma pessoa está sofrendo...

TIÊTERIEV — (*Apontando para a porta dos velhos.*) Lá também estão sofrendo. Aqui também, aonde você não aponta seu dedo. Em todo lugar alguém está sofrendo! Já é um costume do ser humano...

ELIÊNA — Mas mesmo assim ele sente dor...

TIÊTERIEV — É evidente...

ELIÊNA — E é preciso compadecer-se dele.

TIÊTERIEV — Nem sempre... Por sinal, é raro ter que se compadecer de alguém... É melhor ajudá-lo.

ELIÊNA — Não se pode ajudar todo mundo... E sem se compadecer não se pode ajudar...

TIÊTERIEV — Minha senhora! Eu penso da seguinte maneira: o sofrimento vem da vontade. O homem tem desejos dignos de respeito e tem desejos indignos de respeito. Ajude-o a satisfazer os desejos de seu corpo, imprescindíveis para que ele seja sadio e forte, e aqueles que o enobrecem, que o elevam...

ELIÊNA — (*Sem dar ouvidos.*) Talvez... Talvez seja assim... Mas o que é que estão fazendo lá? Será que ela dormiu?

Está um silêncio... Estão sussurrando alguma coisa... Os velhos também... foram embora, meteram-se em seu canto... Como isso tudo é estranho! Em um momento gemidos, barulho, gritos, uma bagunça... E de repente silêncio, nada se move...

TIÊTERIEV — É a vida! As pessoas gritam, ficam cansadas, calam-se... Descansam. E de novo começam a gritar. Aqui mesmo, nesta casa, tudo acaba especialmente depressa... Tanto os gritos de dor quanto os risos de alegria... Qualquer abalo é para ela como bater com um bastão numa poça de lama... E o último som é sempre o grito da vulgaridade, que manda por aqui. Triunfante ou frustrada, aqui ela sempre tem a última palavra...

ELIÊNA — (*Pensativa.*) Quando eu morava na prisão... as coisas eram mais interessantes. Meu marido era um jogador inveterado... Bebia muito, ia caçar o tempo todo. Era uma cidade de província... As pessoas lá eram tão... interioranas... Eu era livre, não ia a lugar nenhum, não recebia ninguém em casa, morava com os detentos. Eles me adoravam, juro... Eram todos singulares, olhando de perto. Pessoas incrivelmente meigas e simples, eu garanto a você! Eu às vezes olhava para eles e me parecia completamente inacreditável que um fosse assassino, esse outro ladrão, aquele outro... alguma outra coisa. De vez em quando eu perguntava: "Você matou?". "Matei, dona Eliêna Nikoláievna, matei... O que eu posso fazer?". E eu tinha a impressão de que aquele homem levara a culpa no lugar de outra pessoa... Que ele tinha sido usado por outra pessoa, isso sim.

Eu comprei um monte de livros para eles, deixei em cada cela um jogo e um baralho... Dei tabaco... Vinho também, um pouquinho... Na hora do banho de sol eles jogavam bola, *gorodkí*...[6] Como se fossem crianças, juro! Às vezes eu lia uns livrinhos cômicos para eles, que escutavam e davam risada... Como crianças. Comprei uns passarinhos e umas gaiolas, e aí cada cela tinha o seu passarinho... E eles gostavam do passarinho tanto quanto gostavam de mim! E sabe, eles gostavam muito de quando eu vestia roupas claras: uma blusinha vermelha ou amarela... Eu garanto, eles adoravam cores vivas, claras! E eu me vestia para eles propositalmente da maneira mais colorida possível... (*Suspirando.*) Era muito bom estar com eles! Nem percebi que três anos tinham se passado... e quando meu marido foi morto pelo cavalo, eu pelo visto chorei menos por ele do que pela prisão... Tinha pena de sair dela... E os detentos também... Eles também ficaram tristes... (*Olha para o quarto.*) Aqui nessa cidade eu não gosto de morar... Nessa casa há algo... mau. Não são as pessoas que são más, mas sim... alguma outra coisa... Mas sabe, eu fiquei triste... Meio pesada... Nós aqui sentados conversando... e lá talvez uma pessoa esteja morrendo...

TIÊTERIEV — (*Calmamente.*) E nós não temos pena dela...

ELIÊNA — (*Rapidamente.*) Você não tem pena...?

TIÊTERIEV — Nem você...

---

[6]Jogo tradicional russo, bastante popular nos séculos XIX e XX, semelhante ao boliche e à bocha, porém jogado com bastões.

ELIÊNA — (*Em voz baixa.*) É, você tem razão! Isso... é feio, eu sei... mas eu não tenho a sensação de que é feio! Sabe? Acontece às vezes, entende? Você sabe que é feio, mas não tem a sensação... Sabe que eu tenho mais pena dele...? Do Piôtr Vassílievitch do que dela...? Tenho muita pena dele... Aqui é muito ruim para ele... Não é?

TIÊTERIEV — É ruim para todo mundo...

PÔLIA — (*Entra.*) Olá, como...

ELIÊNA — (*De um salto, vai até ela.*) Ch! Silêncio! Sabe... a Tánia se envenenou!

PÔLIA — O quê?!

ELIÊNA — Pois é, pois é! Veja só... Um médico e o irmão estão lá com ela...

PÔLIA — Ela está morrendo...? Vai morrer?

ELIÊNA — Ninguém sabe...

PÔLIA — Mas por quê? Ela disse? Ou não?

ELIÊNA — Não sei! Não!

PIÔTR — (*Colocando sua cabeça despenteada para fora da porta.*) Eliêna Nikoláievna... Venha cá um minuto...
(ELIÊNA *sai rapidamente.*)

PÔLIA — (*Para* TIÊTERIEV.) Por que você está olhando para mim... desse jeito?

TIÊTERIEV — Quantas vezes você já me perguntou isso?

PÔLIA — Se é sempre a mesma coisa... Sempre um olhar diferente... por quê? (*Aproximando-se dele, severamente.*) Você por acaso... me considera culpada... disso?

TIÊTERIEV — (*Gargalhando.*) E você por acaso sente algo... além de culpa?

PÔLIA — Eu sinto que cada vez... eu gosto menos de você... É isso! Você não pode me contar direito como tudo isso aconteceu?

TIÊTERIEV — Ontem ela foi empurrada de levinho e, fraca que estava, hoje ela acabou caindo... E foi isso!

PÔLIA — Mentira!

TIÊTERIEV — O que é mentira?

PÔLIA — Eu sei a que você está se referindo... e é mentira! O Nil...

TIÊTERIEV — O Nil? E o que o Nil tem a ver com isso?

PÔLIA — Nem ele, nem eu... Nós dois não temos nada a ver! Você... não! Eu sei que você nos culpa... mas por quê? Eu o amo... e ele me ama... Faz tempo que tudo começou!

TIÊTERIEV — (*Sério.*) Eu não culpo vocês de nada... Vocês mesmos se sentem culpados por alguma coisa e ficam se justificando com o primeiro que passa. E pelo quê? Eu... respeito muito você... Quem foi que sempre, constantemente, obstinadamente, falou para você sair o mais rápido possível desta casa, não frequentar esta casa; que disse que aqui é um lugar nocivo, prejudicial ao seu espírito? Fui eu que disse...

PÔLIA — E daí?

TIÊTERIEV — Nada. Eu só queria dizer que se você não tivesse vindo para cá... você não teria que passar por isso que está acontecendo com você agora... Só isso!

PÔLIA — É... Mas como é que ela está? Corre algum perigo? Como ela vai ficar?

TIÊTERIEV — Não sei...
(PIÔTR *e o* MÉDICO *saem.*)

PIÔTR — Pôlia! Por favor, ajuda a Eliêna Nikoláievna...

TIÊTERIEV — (*Para* PIÔTR.) E então?

MÉDICO — Não é nada, sinceramente! Apenas um indivíduo nervoso, mas nada além disso... Ela bebeu pouco... Queimou o esôfago... e aparentemente pouco amoníaco conseguiu chegar no estômago... E esse pouco ainda por cima foi expelido...

PIÔTR — O senhor está cansado, doutor, sente-se um pouquinho...

MÉDICO — Grato... Vai convalescer por uma semana... Eu uns dias atrás tive um caso interessante... Um pintor, embriagado, bebeu o equivalente a uma xícara de chá de verniz, achando que era cerveja...
(BESSIÊMENOV *entra. Parando junto à porta de seu quarto, ele lança silenciosamente para o médico um olhar inquisitivo e sombrio.*)

PIÔTR — Acalme-se, pai, não tem perigo!

MÉDICO — Sim, sim! Não fique assustado! Dentro de dois ou três dias ela estará de pé...

BESSIÊMENOV — É verdade?

MÉDICO — Eu garanto.

BESSIÊMENOV — Pois bem...! Obrigado! Se é verdade... se não tem perigo, obrigado! Piôtr, você... venha cá um pouquinho...

(PIÔTR *aproxima-se dele.* BESSIÊMENOV *afasta-se em direção à porta de seu quarto. Ouvem-se sussurros e o som de dinheiro.*)

TIÊTERIEV — (*Para o* MÉDICO.) Mas então, o que aconteceu com o pintor?

MÉDICO — Ahn... como, senhor?

TIÊTERIEV — O que aconteceu com o pintor?

MÉDICO — Ah! O pintor... Nada, melhorou... Hum... Tenho a impressão de já conhecer o senhor... Mas de onde?

TIÊTERIEV — Talvez...

MÉDICO — O senhor... ahn... não esteve internado num hospital para doentes de tifo?

TIÊTERIEV — Estive...!

MÉDICO — (*Alegremente.*) Arrá! É isso, é isso! Eu olhando para você e seu rosto me parecia mesmo familiar... Mas permita-me... Foi na última primavera? Não foi? Talvez eu me lembre até de seu nome completo...

TIÊTERIEV — Eu também me lembro do senhor…

MÉDICO — É mesmo?

TIÊTERIEV — Lembro. Quando eu comecei a me recuperar, pedi para o senhor aumentar a minha porção e o senhor fez uma careta horrível para mim e me disse: "Contente-se com o que estão dando a você. Aqui temos muitos outros bêbados e vagabundos como você…"

MÉDICO — (*Desconcertado.*) Mas permita-me! Isso… Por isso… Perdão…! O senhor… Seu nome… Eu sou o médico Nikolai Troierúkov… E…

TIÊTERIEV — (*Aproximando-se dele.*) E eu sou um alcoólatra de nascença e cavaleiro da Ordem do Copo, Teriênti o Teólogo. (*O* MÉDICO *afasta-se dele.*) Não tenha medo, não vou encostar em você… (*Passa reto por ele e sai. O* MÉDICO *acompanha-o com o olhar, desconcertado, abanando-se com o chapéu. Entra* PIÔTR.)

MÉDICO — (*Olhando para a porta do saguão.*) Bem, até logo! Estão me esperando… Caso ela se queixe de dor… Repita a dose… Dê a ela mais algumas gotas… A dor provavelmente não será mais muito forte… Até logo…! Ah… Escute, esteve aqui um senhor… bastante original… Ele é seu parente?

PIÔTR — Não, é um hóspede…

MÉDICO — Ah…! Muito prazer…! Muito original! Até logo… Muito obrigado! (*Sai.*)

(PIÔTR *o conduz até o saguão.* BESSIÊMENOV *e* AKULINA IVÁNOVNA *saem de seu quarto e cuidadosamente, pisando de fininho, deslizam em direção à porta do quarto da filha.*)

BESSIÊMENOV — Espere, não entre aí... Não se ouve nada. Talvez ela esteja dormindo... Não devemos acordá-la... (*Afasta a velha para o canto em que está o baú.*) Pois é, mãe! Agora sim... estamos bem arranjados! Logo vão começar boatos e rumores pela cidade toda... Sem parar...

AKULINA IVÁNOVNA — Pai! Como assim? O que você está dizendo? Eles que falem aos quatro ventos o que quiserem... Contanto que ela fique viva! Que coloquem a boca no mundo...

BESSIÊMENOV — Pois é... Sei bem... que é assim...! Mas você, hein?! Não entende! É uma vergonha para nós!

AKULINA IVÁNOVNA — Ora... Por que vergonha?

BESSIÊMENOV — Nossa filha se envenenou, entenda! O que é que nós fizemos com ela, que mal nós fizemos a ela? Que desgosto nós demos a ela? Nós somos o quê, animais para ela? Mas vão falar outra coisa... Vão me culpar, eu que aguento de tudo pelos meus filhos... E para quê? A troco de quê? Quisera eu saber... Filhos! Vivem quietos... O que vai na cabeça deles? Ninguém sabe! O que eles pensam? Não se sabe! É uma ofensa!

AKULINA IVÁNOVNA — Eu entendo... e também acho uma ofensa! Mas mesmo assim, eu sou mãe... Passo o dia inteiro fazendo o que eles querem, e ninguém nem diz obrigado... Eu entendo! Se eles pelo menos... estiverem vivos e sadios... e não desse jeito!

PÔLIA — (*Sai do quarto de* TATIANA.) Ela caiu no sono... Falem mais baixo...

BESSIÊMENOV — (*Levantando-se.*) Mas como é que ela está? Podemos ir ver?

AKULINA IVÁNOVNA — Posso entrar de fininho? Eu e o pai...

PÔLIA — O médico disse para não deixar ninguém entrar...

BESSIÊMENOV — (*Desconfiadamente.*) Como é que você sabe? Você nem sequer viu o médico...

PÔLIA — Foi a Eliêna Nikoláievna quem me disse.

BESSIÊMENOV — Mas ela está lá? Vejam só... Um estranho pode, mas a família não. É impressionante...

AKULINA IVÁNOVNA — Temos que almoçar na cozinha... para não incomodá-la... Minha querida...! Não podemos nem ir vê-la... (*Esfregando as mãos, vai para o saguão.*)

(PÔLIA *permanece em pé, recostada ao armário e olhando para a porta do quarto de* TATIANA. *Tem o cenho franzido, os lábios comprimidos, o corpo retesado.* BESSIÊMENOV *está sentado à mesa, como que esperando algo.*)

PÔLIA — (*Em voz baixa.*) Meu pai não esteve aqui hoje?

BESSIÊMENOV — Você nunca pergunta do seu pai. Para que você precisa do seu pai? Eu sei de quem é que você precisa... (PÔLIA *olha espantada para ele.*) Seu pai esteve aqui... esteve sim! Sujo, esfarrapado, privado de qualquer decência... Mas mesmo assim você deve respeitá-lo...

PÔLIA — Eu respeito... Por que o senhor... está dizendo isso?

BESSIÊMENOV — Para você entender... Que seu pai é um vagabundo sem-teto, mas que mesmo assim você não deve contrariá-lo... Mas será que você entende o que é um pai...? Vocês todos são uns insensíveis... Você... que é uma moça pobre, que não tem uma casa, deveria ser humilde... Amável com todos... Mas não! Você fica tentando pensar, imitar as pessoas estudadas. Pois é. Você aqui querendo casar... enquanto lá alguém por pouco não perdeu a vida...

PÔLIA — Eu não entendo o que o senhor está falando... e para quê?

BESSIÊMENOV — (*Nitidamente perdendo a linha de raciocínio, irrita-se.*) Entenda... Pense... Eu estou falando para você entender! Quem é você? Mas ainda assim... vai casar! Já a minha filha... Mas por que você está plantada aí? Vá já para a cozinha... fazer alguma coisa... Eu fico aqui vigiando... vá! (PÔLIA, *olhando atônita para ele, faz menção de ir.*) Espere! Agora há pouco eu... gritei com o seu pai...

PÔLIA — Por quê?

BESSIÊMENOV — Não é da sua conta! Ande... vá!
    (PÔLIA *sai, perplexa.* BESSIÊMENOV *vai em silêncio até a porta do quarto de* TATIANA *e, entreabrindo-a, faz menção de espiar.* ELIÊNA *sai e afasta-o.*)

ELIÊNA — Não entre, parece que ela está dormindo! Não a perturbe...

BESSIÊMENOV — Hum... Todos nos perturbam... Isso não é nada! Já você... Não se pode...

ELIÊNA — (*Admiradamente.*) Do que você está falando? Ela está doente, ora...!

BESSIÊMENOV — Eu sei... Eu sei tudo... (*Vai para o saguão.*)
(ELIÊNA *dá de ombros enquanto ele se afasta. Aproxima-se da janela, senta-se no divã e, colocando as mãos no pescoço, pensa em alguma coisa. Em seu rosto surge um sorriso, ela fecha os olhos, como que sonhando.* PIÔTR *entra, carrancudo e despenteado. Ele sacode a cabeça, como se quisesse tirar algo de cima dela. Vê* ELIÊNA, *para.*)

ELIÊNA — (*Sem abrir os olhos.*) Quem é?

PIÔTR — Do que você está rindo? É estranho ver um rosto sorridente... agora... depois disso...

ELIÊNA — (*Olhando para ele.*) Você está bravo? Cansado? Meu pobre menino... Como eu tenho pena de você...

PIÔTR — (*Sentando-se em uma cadeira ao lado dela.*) Eu tenho pena de mim mesmo.

ELIÊNA — Você precisa ir embora, ir para algum lugar...

PIÔTR — Sim, eu preciso. Na realidade, para que eu estou aqui? Esta vida me oprime terrivelmente...

ELIÊNA — Como é que você gostaria de viver? Diga...! Eu sempre perguntei isso para você... mas você nunca respondeu...

PIÔTR — É difícil ser sincero...

ELIÊNA — Comigo?

PIÔTR — Com você também... Eu por acaso sei... como você reagiria ao que eu dissesse? Como você reagiria ao que eu poderia dizer a você? Às vezes me parece que você...

ELIÊNA — Eu o quê? Hein...?

PIÔTR — Que você se sente...

ELIÊNA — Eu me sinto muito bem com você, muito bem! Você é meu... menino querido!

PIÔTR — (*Acaloradamente.*) Eu não sou menino, não! Eu pensei bastante... Escute, diga... Você gosta... Você se interessa por toda essa bagunça que fazem o Nil, o Chíchkin, a Tsvetáieva... todos esses barulhentos...? Você consegue acreditar que essas leituras em público de livros cultos, esses espetáculos para trabalhadores... essas diversões eruditas... e toda essa futilidade são realmente importantes e que vale a pena viver por elas? Diga...

ELIÊNA — Queridinho! Eu sou uma pessoa inculta... Não posso julgar, não entendo nada. Eu não sou séria... Eu gosto de todos eles, até do Nil e do Chíchkin... São alegres, estão sempre fazendo alguma coisa... Eu adoro pessoas alegres... Eu também sou alegre... Mas por que a pergunta?

PIÔTR — É que... eu me irrito com tudo isso! Se eles gostam de viver desse jeito... Se sentem prazer com isso, tudo bem! Eu não vou atrapalhar... Eu não quero atrapalhar ninguém, só não me impeçam de viver da maneira que eu quiser! Para que eles tentam colocar em suas ações algum sentido especial...? Por que me dizem que eu sou um covarde, um egoísta...?

ELIÊNA — (*Tocando-lhe a cabeça.*) Atormentam você... Está cansado...

PIÔTR — Não, eu não estou cansado... Só estou irritado. Eu tenho o direito de viver como eu quiser, como eu quiser! Não tenho esse direito?

ELIÊNA — (*Brincando com os cabelos dele.*) É outra pergunta complicada para mim... Eu só sei de uma coisa: eu vivo do meu jeito, faço o que eu quiser... E se tentarem me convencer a ir para um convento, eu não vou! Se tentarem à força, eu fujo, ou me afogo...

PIÔTR — Você passa mais tempo com eles do que comigo, você... Você gosta mais deles do que de mim! Eu sinto isso... Mas eu queria dizer... eu devo dizer! Eles são uns barris vazios.

ELIÊNA — (*Surpresa.*) O quê? Mas que...

PIÔTR — Barris vazios... Tem uma história sobre barris...

ELIÊNA — Ah, eu sei... Mas por outro lado... será que eu também... talvez seja vazia?

PIÔTR — Não, não! Você não! Você é cheia de vida, você é como se fosse um riacho que refresca as pessoas!

ELIÊNA — Ora! Então quer dizer que você me acha fria?

PIÔTR — Não brinque com isso! Por favor! Este momento... Mas você está rindo? Do quê? Eu por acaso sou engraçado? Eu quero viver! Quero viver... do jeito que eu bem entender... do jeito que eu quiser...

ELIÊNA — Então viva! Quem é que está impedindo?

PIÔTR — Quem? Alguém está... ou algo! Quando eu penso que é assim que se deve viver, por conta própria, de maneira independente... Fico com a impressão de que alguém me diz: "Não, não se pode!"

ELIÊNA — A consciência?

PIÔTR — O que a consciência tem a ver com isso? Eu... eu não... Por acaso estou cometendo algum crime? Eu só quero ser livre... Eu queria falar sobre...

ELIÊNA — (*Inclinando-se para ele.*) Não é assim que se fala disso! Disso deve-se falar de um jeito muito mais simples! Eu vou ajudar você, meu pobre menininho... a não se confundir com coisas tão simples...

PIÔTR — Eliêna Nikoláievna! Você... está me torturando... com essas piadas! Isso é cruel! Eu queria dizer a você... Estou aqui diante de você para...

ELIÊNA — Também não é assim!

PIÔTR — Está na cara que eu sou uma pessoa fraca... Não tenho forças para aguentar essa vida! Eu sinto nela uma imensa vulgaridade, mas não consigo mudar nada, não sou capaz de acrescentar nada... Eu quero ir embora, viver sozinho...

ELIÊNA — (*Segurando a cabeça dele com as mãos.*) Repita comigo, repita: eu amo você!

PIÔTR — Sim, sim! Sim! Mas... não! Você está de brincadeira...!

ELIÊNA — É verdade, eu estou falando muito sério, faz muito tempo que eu decidi me casar com você! Talvez isso seja ruim... Mas eu quero muito que isso aconteça...

PIÔTR — Mas... como eu estou feliz! Eu amo você, como...

(*Atrás da parede ouve-se o gemido de* TATIANA. PIÔTR *ergue-se de um salto, olhando ao redor desconcertadamente.* ELIÊNA *levanta-se calmamente de seu lugar.* PIÔTR *fala em voz baixa.*)

Isso foi... a Tánia? E nós... aqui...

ELIÊNA — (*Passando por ele.*) Nós não fizemos nada de errado...

VOZ DE TATIANA — Água... Quero água...

ELIÊNA — Já vou... (*Sorrindo para* PIÔTR, *sai.*)

(PIÔTR *permanece em pé, segurando a cabeça com as mãos e, desconcertado, olha para o nada. A porta do saguão se abre, e* AKULINA IVÁNOVNA *sussurra ruidosamente.*)

AKULINA IVÁNOVNA — Piêtia! Piêtia, onde você está?

PIÔTR — Aqui...

AKULINA IVÁNOVNA — Venha almoçar...

PIÔTR — Não quero... Não vou...

ELIÊNA — (*Volta.*) Ele vem comigo...

(AKULINA IVÁNOVNA *mede-a com ar de descontentamento e sai de cena.*)

PIÔTR — (*Correndo em direção a* ELIÊNA.) Como isso tudo acabou saindo... desagradável! Ela está lá deitada... E nós... nós...

ELIÊNA — Venha cá... O que há de desagradável nisso? Até no teatro depois de um drama colocam algo alegre... Na vida real, então, isso é ainda mais necessário...

(PIÔTR *aperta-se contra ela, que o leva embora pelo braço.*)

TATIANA — (*Geme roucamente.*) Liêna...! Liêna...!

(PÔLIA *entra correndo.*)

(*Cortinas.*)

# Ato IV

*O mesmo cômodo. À noite. A sala está iluminada por uma lâmpada que está sobre a mesa.* PÔLIA *recolhe a louça do chá.* TATIANA, *doente, está deitada no divã no canto, na penumbra.* TSVETÁIEVA *está sentada em uma cadeira, perto dela.*

TATIANA — (*Em voz baixa, com tom de censura.*) Você acha que eu não queria ver a vida com a mesma alegria e com o mesmo ânimo com que você a vê? Ah, como eu queria... Mas não posso! Eu nasci sem fé no coração... Eu aprendi a pensar...

TSVETÁIEVA — Minha flor! Você pensa demais... Mas convenhamos que não vale nada ser uma pessoa inteligente apenas para ficar divagando... O intelecto é bom, mas... Sabe, para que uma pessoa viva de forma agradável, suave, ela deve ser um pouco sonhadora... Ela deve, embora não sempre, olhar para frente, para o futuro...

(PÔLIA, *ouvindo atentamente o discurso de* TSVETÁIEVA, *sorri meiga e pensativamente.*)

TATIANA — E o que há lá na frente?

TSVETÁIEVA — O que você quiser ver!

TATIANA — É... É preciso imaginar!

TSVETÁIEVA — É preciso acreditar...

TATIANA — Em quê?

TSVETÁIEVA — No seu sonho. Sabe... Quando eu olho nos olhos dos meus aluninhos, eu fico pensando: olhem só o Nôvikov. Ele vai terminar a escola, vai para o ginásio... Depois para a universidade... Acho que vai ser médico! É um menino tão esforçado, tão atencioso, tão bom... Tem uma cabeça incrível. É muito afetuoso... Vai trabalhar muito, abnegadamente, bondosamente... E as pessoas vão amá-lo e respeitá-lo muito... Eu sei que vão! Então um dia, ao recordar a infância, ele vai se lembrar de quando a professora Tsvetáieva, brincando com ele na hora do recreio, machucou seu nariz... Ou talvez nem se lembre... Mas tanto faz...! Não, acho que vai se lembrar... Ele gosta muito de mim. Há também um aluno que vive distraído, despenteado, está sempre imundo, o Klôkov. É um encrenqueiro inveterado, um implicante, um traquinas. É órfão, mora com o tio, um guarda noturno... É quase um mendigo... Mas é tão orgulhoso, tão corajoso! Eu acho que ele vai ser jornalista. Ah, como são interessantes os meus meninos! E meio que sem querer eu sempre me pego pensando sobre o que será deles, que papel eles vão desempenhar na vida... É muitíssimo interessante imaginar como será a vida dos meus alunos... Você vê, Tánia, não é grande coisa... Mas se você soubesse como é bom!

TATIANA — E você? Você mesma? Os seus alunos vão viver... talvez muito bem... Mas você nessa ocasião já vai...

TSVETÁIEVA — Estar morta? Como assim?! Eu pretendo ainda viver muito...

PÓLIA — (*Em voz baixa, carinhosamente, como que suspirando.*) Como você é querida, Macha![7] Como é boa...

TSVETÁIEVA — (*Sorrindo para* PÓLIA.) Nosso passarinho começou a cantar... Sabe, Tánia, eu também não sou sentimental... Mas quando eu penso no futuro... Nas pessoas, no futuro, na vida... Eu fico meio melancólica... Como se em meu peito brilhasse um agradável sol de outono... Sabe, no outono às vezes temos dias assim: céu azul, sol brando, ar limpo, cristalino, você enxerga tudo nitidamente lá longe... E é fresco, mas não frio; quente, mas não escaldante...

TATIANA — Tudo isso parece... um conto de fadas... Eu, por outro lado, admito... que talvez vocês — você, o Nil, o Chíchkin — e todos que se parecem com vocês... talvez realmente sejam capazes de viver de sonhos... Eu não consigo.

TSVETÁIEVA — Mas espere... Não são só sonhos...

TATIANA — Nada nunca me pareceu incontestável... Exceto talvez pelo fato de que essa sou eu, essa é a parede... Quando eu digo "sim" e quando digo "não"... eu digo não por convicção... mas meio que... simplesmente por responder, só isso. É verdade! Às vezes eu digo "não" e nesse mesmo momento eu já penso comigo mesma: "Será? Ou talvez sim?"

TSVETÁIEVA — Você gosta disso... Olhe bem para si mesma: será que você consegue achar algo bom para si em um coração tão... dividido? Talvez você tenha

[7] Apelido de Maria.

medo de acreditar... Porque afinal a crença traz obrigações...

TATIANA — Não sei... não sei. Faça-me acreditar. Porque os outros vocês conseguem fazer acreditar em vocês... (*Ri silenciosamente.*) Eu tenho pena das pessoas que acreditam em vocês... porque vocês as enganam! Porque a vida foi sempre assim como ela é hoje... Conturbada, tensa... e vai ser sempre assim!

TSVETÁIEVA — (*Sorrindo.*) Será? Pode ser que não!

PÔLIA — (*Como se falasse consigo mesma.*) Não!

TATIANA — O que você disse?

PÔLIA — Estou dizendo que não será!

TSVETÁIEVA — Muito bem, meu passarinho silencioso!

TATIANA — Mais uma dos infelizes... crédulos. Mas pergunte para ela por que não será! Por que a vida haveria de mudar? Pergunte...

PÔLIA — (*Aproximando-se silenciosamente.*) Mas sabe o que é...? Não são todas as pessoas que vivem! Pouquíssimas pessoas aproveitam a vida... A maioria delas não chega nunca a viver de verdade... Elas só trabalham pelo pão de cada dia... Mas quando elas...

CHÍCHKIN — (*Entra rapidamente.*) Boa noite! (*Para PÔLIA.*) Salve, ó filha de cabelos castanhos claros do Rei Duncan.

PÔLIA — Como? Rei quem?

CHÍCHKIN — Arrá! Peguei você! Agora estou vendo que

você não leu o Heine, embora o livrinho já esteja com você há mais de duas semanas. Olá, Tatiana Vassílievna!

TATIANA — (*Estendendo o braço.*) Ela agora não está para livros... Ela vai se casar...

CHÍCHKIN — Cooomo? Com quem? Hein?

TSVETÁIEVA — Com o Nil.

CHÍCHKIN — Ah! Nesse caso, já posso dar os parabéns... Embora no geral isso não seja uma coisa lá muito boa: casamentos, compromissos e coisas do gênero... O matrimônio nas atuais condições...

TATIANA — Ah, não, não precisa! Poupe-me! Não é a primeira vez que você fala desse assunto...

CHÍCHKIN — Se é assim, então eu me calo! Eu nem tenho tempo, mesmo. (*Para TSVETÁIEVA.*) Você vem comigo? Ótimo! O Piôtr não está?

PÔLIA — Ele está lá em cima.

CHÍCHKIN — Hum... Não, não vou atrás dele! Você poderia, Tatiana Vassílievna... ou você, Pôlia... dizer a ele que eu... que eu novamente... quer dizer... que o horário da aula com o Prôkhorov está livre...

TSVETÁIEVA — De novo? Mas você não tem sorte, mesmo!

TATIANA — Vocês brigaram?

CHÍCHKIN — Sinceramente falando... não exatamente! Eu me contive...

TSVETÁIEVA — Mas qual foi o motivo? Você mesmo vivia elogiando o Prôkhorov...

CHÍCHKIN — Infelizmente! Elogiava... Que diabos! E na verdade ele é... mais correto do que a maioria... É inteligente... Mas é um fanfarrão... um tagarela e também (*Inesperadamente acalorado.*) uma verdadeira besta!

TATIANA — Agora é pouco provável que o Piôtr vá querer passar aulas para você...

CHÍCHKIN — Pois é, talvez ele fique irritado...

TSVETÁIEVA — Mas o que é que deu com o Prôkhorov?

CHÍCHKIN — Vocês nem imaginam, ele é antissemita!

TATIANA — E o que você tem a ver com isso?

CHÍCHKIN — É que isso é... uma indecência! É indigno de um intelectual! Ele é um perfeito burguês! De qualquer maneira a história é a seguinte: a empregada dele frequentava a escola dominical. Que maravilha! Ele começou a tagarelar, tentando provar a utilidade da escola dominical... o que eu não pedi em momento nenhum! Ficou também se gabando, dizendo que era um dos que tinham incentivado a criação da escola. Aí, pouco tempo atrás, ele chegou em casa, num domingo, e ficou horrorizado porque quem abriu a porta foi a babá, e não a empregada! Onde está Sacha? Na escola. Arrá! E proibiu a empregada de ir à escola! Como vocês acham que isso se chama?

(*TATIANA dá de ombros silenciosamente.*)

TSVETÁIEVA — É um tremendo tagarela...

CHÍCHKIN — Resumindo, parece que é de brincadeira que o Piôtr me arranja aulas sempre com uns charlatães.

TATIANA — (*Secamente.*) Que conste que você elogiava o tesoureiro...

CHÍCHKIN — Sim... claro... um bom velhote! Mas é um numismata! Enfiou na minha cara várias moedinhas de cobre e ficou falando dos césares, dos diádocos, dos diversos faraós e de suas carruagens. Estou farto, não tenho mais forças! Aí eu disse para ele: "Ouça, Vikenti Vassílievitch! Eu acho tudo isso uma bobagem! Qualquer pedregulho é mais velho que essas suas moedas!". E ele se ofendeu. E disse: "Então quer dizer que eu perdi quinze anos da minha vida com bobagens?". E eu respondi afirmativamente. Na hora de pagar, me deu cinquenta copeques a menos... Pelo visto deixou a moeda para completar a coleção. Mas isso é besteira... Porque o Prôkhorov eu... pois é... (*Triste.*) Eu tenho um caráter horrível! (*Apressadamente.*) Vamos, Mária Nikítitchna, vamos que está na hora!

TSVETÁIEVA — Eu estou pronta. Até logo, Tánia! Amanhã é domingo... Venho visitar você de manhã...

TATIANA — Obrigada. Eu... chego a ter a impressão de que eu sou uma espécie de planta rasteira embaixo dos pés de vocês... Não há beleza em mim, nem alegria... E ainda atrapalho as pessoas a andar, fico presa nelas...

CHÍCHKIN — Mas que pensamentos ruins!

TSVETÁIEVA — Fico ofendida de ouvir isso, Tánia...

TATIANA — Não, espere... Sabe? Eu entendo... Eu entendi a cruel lógica da vida: quem não pode acreditar em nada, não pode viver... E deve morrer... deve!

TSVETÁIEVA — (*Sorrindo.*) Será? E se não for assim?

TATIANA — Você está me arremedando... Mas precisa fazer isso? Rir de mim... precisa?

TSVETÁIEVA — Não, Tánia, não, querida! Quem está dizendo isso é a sua doença, o seu cansaço, não você... Bom, até mais tarde! E não fique pensando que somos cruéis ou malvados...

TATIANA — Podem ir... Até!

CHÍCHKIN — (*Para* PÔLIA.) Então, quando é que você vai ler o Heine? Ah é, você vai se casar... hum! Eu poderia dizer algumas coisas contra isso... mas, até mais! (*Vai atrás de* TSVETÁIEVA.)
(*Pausa.*)

PÔLIA — A missa noturna já deve estar acabando... Digo para trazerem o samovar?

TATIANA — Dificilmente os velhos vão querer beber chá... Mas você é que sabe... (*Pausa.*) Antes o silêncio me incomodava, mas agora eu gosto de quando as coisas estão quietas aqui.

PÔLIA — Não está na hora de você tomar seu remédio?

TATIANA — Ainda não... Os últimos dias aqui foram tão fúteis, tão barulhentos. Como fala alto esse Chíchkin...

PÔLIA — (*Aproximando-se dela.*) Ele é uma boa pessoa...

TATIANA — Pode ser bom... Mas é um idiota...

PÔLIA — Ele é simpático, corajoso. Onde quer que ele veja a injustiça, lá estará ele. Viu como ele reparou na história da empregada? Quem mais daria atenção à vida das empregadas ou de qualquer outra pessoa que trabalhe para os ricos? E mesmo que dê atenção, será que tomaria partido?

TATIANA — (*Sem olhar para PÔLIA.*) Diga-me, Pôlia... Você não tem medo... de se casar com o Nil?

PÔLIA — (*Calmamente, porém surpresa.*) E do que eu teria medo? Não, não tenho medo de nada...

TATIANA — Do quê...? É que eu... teria medo. Eu estou dizendo isso para você porque... eu amo... você! Você não é como ele. Você é simples... Ele leu demais, já é estudado. Talvez ele fique entediado com você... Você já pensou nisso, Pôlia?

PÔLIA — Não. Eu sei que ele me ama...

TATIANA — (*Irritada.*) Como é que você pode saber...
(*TIÊTERIEV traz o samovar.*)

PÔLIA — Muito obrigada! Vou buscar o leite. (*Sai.*)

TIÊTERIEV — (*Está de ressaca, com a cara inchada.*) Estou passando pela cozinha e a Stepanida começa a implorar: "Meu caro! Traga o samovar! Quando você precisar eu dou um pepininho para você, uma sopinha..." E eu, glutão que sou, me deixei levar...

TATIANA — Você já voltou da missa noturna?

TIÊTERIEV — Não, eu não fui hoje. Minha cabeça está girando. E você, como está? Está se sentindo melhor?

TATIANA — Estou melhor, obrigada. Já me perguntaram isso vinte vezes hoje... Eu me sentiria ainda melhor se aqui não fosse tão barulhento. Fico irritada com toda essa bagunça... Todo mundo sempre correndo, gritando. O pai fica bravo com o Nil, a mãe só fica suspirando... E eu aqui deitada, observando... sem ver um sentido nisso que eles... todos eles... chamam de vida.

TIÊTERIEV — Não, é curioso! Eu sou um estranho, um forasteiro nessas terras... Vivo da curiosidade e acho que aqui é muito interessante.

TATIANA — Você não é muito exigente, eu sei. Mas o que é que há de interessante aqui?

TIÊTERIEV — As pessoas ajustando suas vidas. Eu adoro ouvir os músicos no teatro afinando os violinos, os sopros. O ouvido capta diversas melodias distintas, às vezes você consegue ouvir uma bela frase... e fica morrendo de vontade de saber logo o que exatamente os músicos vão tocar, quem deles é o solista, qual é a peça. Aqui também é como se também afinassem... mas suas vidas...

TATIANA — No teatro... sim. Lá tem um regente, que balança a batuta e os músicos tocam, sem qualquer sentimento, qualquer coisa velha, batida. E aqui...? O que eles são capazes de tocar? Eu não sei.

TIÊTERIEV — Talvez um *fortissimo*...

TATIANA — Veremos. (*Pausa.* TIÊTERIEV *acende seu cachimbo.*) Por que você fuma cachimbo e não cigarro?

TIÊTERIEV — É mais confortável. Sendo eu um vagabundo, passo a maior parte do ano vagando. Logo mais, por sinal, partirei. Quando chegar o inverno, tomarei o meu rumo.

TATIANA — Para onde?

TIÊTERIEV — Não sei... Acho que isso tanto faz...

TATIANA — Vai acabar congelando em algum lugar... Bêbado...

TIÊTERIEV — Quando eu estou na estrada eu nunca bebo... Posso até acabar congelado, qual é o problema? Melhor congelar na estrada do que apodrecer sentado em um só lugar...

TATIANA — Você está se referindo a mim?

TIÊTERIEV — (*Assustado, de um salto.*) Deus me livre! Como assim? Eu não sou... não sou um animal!

TATIANA — (*Com um sorriso.*) Não se preocupe. Não fico ofendida com isso. Eu perdi a sensibilidade à dor. (*Amargamente.*) Todos sabem que eu não me ofendo. O Nil, a Pôlia, a Eliêna, a Macha... Eles se comportam como ricaços que não ligam para os sentimentos de um mendigo... Não ligam para o que um mendigo pensa quando vê as raras iguarias que eles comem...

TIÊTERIEV — (*Franzindo o cenho.*) Para que se humilhar? É necessário respeitar a si mesmo...

TATIANA — Bom... vamos parar com isso! (*Pausa.*)

Diga-me algo a respeito... de você! Você nunca fala nada sobre você mesmo... Por quê?

TIÊTERIEV — É um tema abrangente, mas pouco interessante.

TATIANA — Não, fale! Por que você... vive de maneira tão estranha? Você me parece tão inteligente, tão talentoso... O que aconteceu com a sua vida...?

TIÊTERIEV — (*Mostrando os dentes.*) O que aconteceu? Ah, é uma história longa e enfadonha... se eu fosse contá-la com as minhas palavras... Eu diria que...

> Foste atrás de sol, de paz
> Nu, infeliz voltaste atrás
> A aparência e as esperanças
> Tu perdeste em tuas andanças

Mas essa explicação é bela demais para mim... embora seja mais sucinta. É preciso acrescentar a ela que na Rússia é mais cômodo e mais tranquilo ser um bêbado, um vagabundo do que um homem sóbrio, honesto e sensato.

(*Entram PIÔTR e NIL.*)

Mas as pessoas são impiedosamente diretas e rígidas, como espadas que perfuram... Ah! Nil! De onde você está vindo?

NIL — Do depósito. E de um combate em que obtive uma vitória gloriosa. Aquele cabeça dura do supervisor da ferrovia...

PIÔTR — Pelo visto logo mais vão chutar você desse emprego...

NIL — Eu arranjo outro...

TATIANA — Sabe, Piôtr? O Chíchkin brigou com o Prôkhorov e, como não decidia dizer isso para você pessoalmente...

PIÔTR — (*Áspera e irritadamente.*) Mas o diabo que o carregue! Isso é... revoltante! Em que situação ridícula ele me coloca com o Prôkhorov! E no fim das contas desperdiça a possibilidade de ser útil a uma outra pessoa...

NIL — Mas espere antes de ficar nervoso! Você não deveria primeiro descobrir de quem foi a culpa?

PIÔTR — Eu já sei!

TATIANA — O Chíchkin não gostou do fato do Prôkhorov ser um antissemita...

NIL — (*Rindo.*) Ah, que rapaz bonzinho!

PIÔTR — Pois é! Você acha isso bom. Você também não tem absolutamente nenhum respeito pela opinião alheia... Que selvagens!

NIL — Espere! Você por acaso está inclinado a respeitar um antissemita?

PIÔTR — Eu não creio de maneira alguma estar no direito de pular na garganta de ninguém!

NIL — Eu pularia...

TIÊTERIEV — (*Olhando ora para um, ora para outro.*) Então pule!

PIÔTR — Quem deu... Quem deu a você esse direito?

NIL — Os direitos não se dão, os direitos se conquistam... Um homem deve lutar por seus direitos, se ele não quiser ser esmagado por uma montanha de obrigações...

PIÔTR — Como é?!

TATIANA — (*Melancolicamente.*) Ah, já vai começar a briga... essa briga infinita! Vocês não se cansam disso...?

PIÔTR — (*Contendo-se.*) Desculpe, não vou mais fazer isso! Mas eu juro que se esse Chíchkin me fizer...

TATIANA — Eu sei, eu sei... Ele é um idiota!

NIL — Ele é um rapaz excelente! Antes de deixar que pisem no pé dele, ele pisa no pé do outro! É bom ter tanta dignidade assim...

TATIANA — Tanta infantilidade, você quis dizer?

NIL — Não, eu não me enganei. Mas mesmo que fosse infantilidade, ainda assim seria bom!

PIÔTR — É ridículo...

NIL — Bom, se você jogar fora seu último pedaço de pão só porque quem o deu foi alguém antipático...

PIÔTR — Isso significa que quem joga o pão fora não está com fome suficiente... Eu sei que você vai discordar. Você também é desse jeito... Também parece... uma criança... A cada segundo tenta mostrar para o pai que você não tem uma gota de respeito por ele... E tudo isso para quê?

NIL — E por que eu deveria esconder?

TIÊTERIEV — Meu menino! A decência exige que as pessoas mintam...

PIÔTR — Mas que sentido tem isso? Que sentido?

NIL — Nós, irmão, não vamos nos entender... não há o que dizer. Tudo o que o seu pai faz e fala me é repulsivo...

PIÔTR — Eu também acho repulsivo... talvez! Mas eu me contenho. Já você o irrita constantemente... e quem paga por isso somos nós: minha irmã e eu...

TATIANA — Cansei! A mesma coisa... é sempre a mesma coisa!

(*Entra* PÔLIA *com um pote de leite nas mãos. Vendo que* NIL *sorri sonhadoramente, ela olha para o público e diz:*)

PÔLIA — Vejam só como está contente!

TIÊTERIEV — Do que você está rindo?

NIL — Eu? Estou me lembrando do sermão que passei no supervisor da ferrovia... Que coisa interessante é a vida!

TIÊTERIEV — (*Com voz grave.*) Amém!

PIÔTR — (*Dando de ombros.*) Eu fico surpreso! Os otimistas por acaso nascem cegos?

NIL — Se eu sou ou não um otimista, isso não importa, mas eu gosto de viver! (*Levanta-se e anda.*) É uma grande satisfação estar vivo!

TIÊTERIEV — Sim, é curioso!

PIÔTR — Vocês são dois palhaços, se estão falando sinceramente!

NIL — E você é um... Já nem sei do que eu posso chamar você! Eu sei, e isso não é segredo nenhum para mais ninguém, que você está apaixonado e que também amam você. E será que nem por esse motivo você sente vontade de cantar, de dançar? Será que nem isso dá alegria a você?

(PÔLIA *olha altivamente para todos por detrás do samovar.* TATIANA *revira-se nervosamente, tentando ver o rosto de* NIL. TIÊTERIEV, *sorrindo, tira as cinzas de seu cachimbo.*)

PIÔTR — Você está se esquecendo de alguma coisa. Em primeiro lugar, estudantes não têm permissão para se casar. Em segundo lugar, eu terei que enfrentar uma batalha com os meus pais. Em terceiro lugar...

NIL — Meu Deus! Mas o que é isso? Só sobrou uma coisa para você: fugir! Fugir para o deserto...!
(PÔLIA *sorri.*)

TATIANA — Você está fazendo palhaçadas, Nil...

NIL — Não, Petrukha, não! Viver, e mesmo sem estar apaixonado, é uma tarefa maravilhosa! Conduzir locomotivas horríveis pelas noites de outono, debaixo de chuva e de vento... Ou, no inverno... Na nevasca, quando em volta de você não há nada e tudo o que há sobre a terra está envolto em sombras, encoberto de neve... É muito cansativo trabalhar nessas ocasiões, é difícil... É até mesmo perigoso! E mesmo nisso há uma certa beleza! Apesar de tudo, há beleza! Só há uma coisa em que eu não consigo ver nada de agradável: no fato de que eu e outras pessoas honradas somos chefiados por porcos, idiotas, ladrões... Mas a vida não se resume a eles! Eles vão passar, desaparecer, como desaparece uma ferida num corpo saudável. Não existe nada que não possa ser mudado...!

PIÔTR — Não é a primeira vez que eu ouço essa conversa. Veremos como a vida lhe responde!

NIL — Eu posso fazê-la responder como eu quiser. Não tente me meter medo! Eu sei muito melhor do que você que a vida é difícil, que às vezes ela é absurdamente dura, que uma força terrível e desenfreada aperta, comprime o homem, eu sei de tudo isso e isso não me agrada, isso me revolta! Eu não quero que as coisas sejam assim! Sei que a vida é coisa séria, que ela é complicada... e que ela exige todas as suas forças e todas as suas capacidades para que ela deixe de ser complicada. Também sei que não sou nenhum herói, mas simplesmente um homem honesto e saudável, e mesmo assim eu digo: tudo bem! Nós venceremos! E eu haverei de usar todas as minhas forças para satisfazer meu desejo de me embrenhar na vida... De moldá-la como eu quiser... Atrapalhar uns, ajudar outros... Nisso está a felicidade da vida!

TIÊTERIEV — (*Gargalhando.*) Este é o sentido das mais avançadas ciências! O sentido de toda a filosofia! Qualquer outra filosofia é um anátema!

ELIÊNA — (*Junto à porta.*) Por qual motivo estão gritando tanto aqui?

NIL — (*Indo em direção a ela.*) Senhora! A senhora vai me

entender! Eu estava cantando odes à vida! Diga a eles: a vida é um prazer!

PÔLIA — (*Em voz baixa.*) Viver é muito bom!

ELIÊNA — E quem é contra isso?

NIL — (*Para* PÔLIA.) Ah, como é... tranquila a minha querida!

ELIÊNA — Parem com esses namoricos na minha frente!

PIÔTR — Isso mesmo, ao diabo com isso! Parece um bêbado...

(TATIANA, *colocando a cabeça no encosto do divã, ergue lentamente as mãos e esconde seu rosto.*)

ELIÊNA — Esperem! Vocês pretendiam tomar chá? Porque eu vim para chamar vocês para a minha casa... Mas vou ficar aqui com vocês, está animado aqui hoje. (*Para* TIÊTERIEV.) Só você, sábio corvo, está aí macambúzio. Por quê?

TIÊTERIEV — Eu também estou animado. É que eu prefiro me divertir em silêncio e ficar entediado fazendo barulho...

NIL — Assim como todos os cães grandes, inteligentes e bravos...

ELIÊNA — Eu nunca vejo você nem triste, nem alegre, só filosofando. Sabiam, senhores? Sabia, Tánia? Ele está me ensinando filosofia. Ontem ele proferiu uma palestra inteira sobre um tal princípio da razão suficiente... é! Eu me esqueci de como se expressa esse incrível princípio... Com quais palavras? Com quais?

TIÊTERIEV — (*Sorrindo.*) Não há nada que não possua uma razão de ser...

ELIÊNA — Vocês ouviram? Vejam só que coisas profundas eu sei agora! Vocês nem sabiam que esse princípio consiste em... "Consiste", essa é a mais filosófica das palavras! Consiste em... algo parecido com um dente, porque tem quatro raízes... não é isso?

TIÊTERIEV — Não ouso discutir...

ELIÊNA — Mas é claro! Nem ouse mesmo! A primeira raiz... Ou será que não é a primeira...? A primeira raiz do princípio da razão suficiente é a existência... A existência é a matéria em suas diversas formas... Eu, por exemplo, sou a matéria em forma de mulher, e não sem uma razão... Mas por outro lado, e aqui sem nenhuma razão, privada de um ser. O ser é eterno, mas a matéria em suas formas existe na terra, mas depois desaparece! Não é isso?

TIÊTERIEV — É, até que passa...

ELIÊNA — Eu sei também que existe uma ligação causal, *a priori* e *a posteriori*, mas já me esqueci de quais são elas! E se com todas essas coisas complexas eu não ficar careca, inteligente eu fico! Mas o mais interessante e complexo em toda a filosofia é: por que você, Teriênti Khrisánfovitch, fica falando de filosofia comigo?

TIÊTERIEV — Em primeiro lugar, porque acho muito agradável olhar para você...

ELIÊNA — Obrigada! Em segundo lugar, não deve ser muito interessante...

TIÊTERIEV — Em segundo lugar, porque somente ao filosofar o homem não mente, pois ao filosofar ele apenas pensa...

ELIÊNA — Não entendi nada! Então, Tánia, como você está se sentindo? (*Sem esperar resposta.*) Piôtr... Vassílievitch! Com que você está descontente?

PIÔTR — Comigo mesmo.

NIL — E com todos os outros?

ELIÊNA — Sabem, estou morrendo de vontade de cantar! Que pena que hoje é sábado e a missa noturna ainda não acabou... (*Entram os velhos.*) Ah! Chegaram os devotos! Olá!

BESSIÊMENOV — (*Secamente.*) Nossos cumprimentos...

AKULINA IVÁNOVNA — (*Também contrariada.*) Olá, querida! Mas nós já nos vimos hoje.

ELIÊNA — Ah, sim! Eu tinha me esquecido... Mas então... Estava quente... lá na igreja?

BESSIÊMENOV — Nós não fomos lá para medir a temperatura...

ELIÊNA — (*Confusa.*) Ah, mas é claro... É que eu não estava perguntando... Eu queria saber... se tinha muita gente lá.

AKULINA IVÁNOVNA — Nós não contamos, querida...

PÔLIA — (*Para BESSIÊMENOV.*) Vocês vão beber chá?

BESSIÊMENOV — Vamos jantar primeiro... Mãe, vá lá preparar... (AKULINA IVÁNOVNA *sai, fungando o nariz.*

*Todos ficam em silêncio.* TATIANA *levanta-se e vai até a mesa, apoiando-se em* ELIÊNA. NIL *senta-se no lugar de* TATIANA. PIÔTR *caminha pela sala.* TIÊTERIEV, *sentado próximo ao piano, acompanha os outros com o olhar, sorrindo.* PÔLIA *permanece junto ao samovar.* BESSIÊMENOV *está sentado no canto, em cima do baú.*) Mas como tem ladrão hoje em dia, é impressionante! Agora há pouco, quando eu estava indo à igreja com a mãe, coloquei uma tabuinha em frente ao portão, em cima de uma poça de lama, para podermos passar. Quando voltamos, a tabuinha já não estava mais lá... Algum malandro afanou. Esse mundo virou uma baderna... (*Pausa.*) Antigamente existiam menos malandros... Existiam bandidos de verdade, todas as pessoas eram mais dignas... Teriam vergonha de sujar a consciência com uma ninharia dessas... (*Da rua, pela janela, ouve-se uma cantoria e sons de um acordeão.*) Olhem só... Estão cantando. É sábado, e eles cantando... (*A cantoria se aproxima, duas vozes cantam.*) Na certa são os operários. Pelo visto saíram do trabalho, passaram em algum botequim, beberam todo o dinheiro que ganharam e agora estão aí berrando... (*A cantoria chega bem próximo da janela.* NIL, *encostando o rosto no vidro, olha para a rua.*) Vão viver assim mais um ano... dois quando muito e pronto! Já estão na vagabundagem... na malandragem...

NIL — Parece que é o Pertchíkhin...

AKULINA IVÁNOVNA — (*Da porta.*) Pai, venha jantar...

BESSIÊMENOV — (*Levantando-se.*) Pertchíkhin... É outro... Que vida inútil a desse homem... (*Sai.*)

ELIÊNA — (*Acompanhando-o com o olhar.*) Já eu... prefiro tomar chá...

NIL — Você foi muito espirituosa com os velhos.

ELIÊNA — Eu... Ele me confunde... Ele não gosta de mim... E eu acho isso meio... desagradável... Fico até ofendida! Por que não gostar de mim?

PIÔTR — Ele, na verdade, é um bom senhor... Mas tem muito amor próprio...

NIL — E é também um pouco sovina... um pouco maldoso.

PÔLIA — Ch! Por que falar assim de alguém pelas costas? É muito ruim!

NIL — Não, ser sovina é que é ruim.

TATIANA — (*Secamente.*) Eu proponho deixarmos... esse assunto de lado sem discussões. O pai pode entrar a qualquer minuto... Nos últimos três dias ele... não brigou... Está tentando ser gentil com todos...

PIÔTR — E como isso é difícil para ele...

TATIANA — É preciso levar isso em consideração... Ele está velho... Ele não tem culpa de ter nascido antes de nós... e de não pensar como nós pensamos... (*Irritando-se.*) Como as pessoas são cruéis! Como todos nós somos grossos, impiedosos... Somos ensinados a amar uns aos outros... Dizem para nós: sejam bons... sejam amáveis...

NIL — (*No mesmo tom.*) E montam em cima de nós e nos dizem o que fazer...

(ELIÊNA *gargalha.* PÔLIA *e* TIÊTERIEV *sorriem.* PIÔTR *faz menção de dizer alguma coisa para* NIL *e vai em direção a ele.* TATIANA *meneia a cabeça em reprovação.*)

BESSIÊMENOV — (*Entra, lançando para* ELIÊNA *um olhar hostil.*) Pôlia! O seu pai está lá na cozinha... Vá lá e diga para ele... para ele... voltar outro dia... quando estiver sóbrio... pois é! Fale para o seu papai ir para casa... e tudo mais! (PÔLIA *sai e* NIL *vai atrás.*) Isso... Vá você também... Vá olhar seu futuro... Hum... (*Para, senta-se à mesa.*) Por que vocês... estão quietos? Eu já percebi que sempre que eu entro pela porta vocês fecham a boca...

TATIANA — Nós... mesmo quando você não está... não falamos muito...

BESSIÊMENOV — (*Olhando de soslaio para* ELIÊNA.) Então do que estavam rindo?

PIÔTR — Mas isso... é bobagem! O Nil...

BESSIÊMENOV — O Nil! Tudo tem a ver com ele... Eu bem que sabia...

TATIANA — Devo servir chá para você?

BESSIÊMENOV — Sirva...

ELIÊNA — Dê isso aqui para mim, Tánia, eu sirvo...

BESSIÊMENOV — Não, por que incomodá-la? A minha filha me serve...

PIÔTR — Eu acho que tanto faz quem serve. A Tánia está doente...

BESSIÊMENOV — Eu não estou perguntando para você o que você acha desse assunto. Se um estranho é mais próximo de você do que a família...

PIÔTR — Pai! Mas você não tem vergonha?

TATIANA — Já vai começar! Piôtr, seja razoável.

ELIÊNA — (*Sorrindo desconfortavelmente.*) Bom, não foi nada...
 (*A porta abre-se amplamente, e* PERTCHÍKHIN *entra. Está bêbado, mas não muito.*)

PERTCHÍKHIN — Vassíli Vassílievitch! Eu vim para cá... Você saiu... Aí eu vim para cá... atrás de você...

BESSIÊMENOV — (*Sem olhar para ele.*) Já que veio, então sente-se aí... Aqui, tome um chá... Ora...

PERTCHÍKHIN — N-não preciso de chá! Tomem vocês à vontade... Eu vim para conversar...

BESSIÊMENOV — Conversar de quê? Você só fala bobagem.

PERTCHÍKHIN — Bobagem? Como? (*Rindo.*) Seu louco! (NIL *entra e, olhando severamente para* BESSIÊMENOV, *para junto ao armário.*) Há quatro dias que eu estou querendo vir aqui falar com você... Pois eu vim...

BESSIÊMENOV — Então tudo bem.

PERTCHÍKHIN — Tudo bem nada! Vassíli Vassílievitch! Você é um homem inteligente! Um homem rico... Eu vim apelar para a sua consciência!

PIÔTR — (*Aproximando-se de* NIL, *em voz baixa.*) Por que você o deixou entrar aqui?

NIL — Deixe! Isso não diz respeito a você...

PIÔTR — Você sempre faz... Deus sabe o quê...

PERTCHÍKHIN — (*Abafando a voz de* PIÔTR.) Meu velho homem... Faz teeempo que eu conheço você!

BESSIÊMENOV — (*Irritando-se.*) Mas o que é que você quer?

PERTCHÍKHIN — Diga-me: por que é que naquele dia você me expulsou de casa? Eu pensei, pensei e não consigo entender! Diga, irmão! Eu vim aqui de braços abertos... com todo o amor por você, irmão...

BESSIÊMENOV — Você veio com a cara cheia... isso sim!

TATIANA — Piôtr! Me ajude... Não, chame a Pôlia...
(PIÔTR *sai.*)

PERTCHÍKHIN — Olhe a Pôlia! Minha filha querida... Meu lindo passarinho... Por causa dela que você me expulsou? Foi isso? Por ela ter tomado o noivo da Tatiana?

TATIANA — Oh! Que idiotice... Que vulgaridade...!

BESSIÊMENOV — (*Levantando-se lentamente do lugar.*) Olhe, Pertchíkhin! Pela última vez...

ELIÊNA — (*Para* NIL, *a meia-voz.*) Levem-no embora! Eles vão brigar.

NIL — Não quero...

PERTCHÍKHIN — Não vai me expulsar uma segunda vez, Vassíli Vassílievitch! Não por isso... a Pôlia... Eu a amo... É a minha querida! Mas mesmo assim eu não aprovo... Eu, meu irmão, não aprovo, n-não! Por que é que foi tomar o dos outros? Não é nada bom...

TATIANA — Liêna! Eu... vou para o meu quarto... (*ELIÊNA a ajuda, segurando-a pelo braço. Passando por NIL, TATIANA diz a ele em voz baixa.*) Não tem vergonha? Levem-no embora...

BESSIÊMENOV — (*Contendo-se.*) Pertchíkhin! Você... cale-se! Sente aí e fique quieto... ou então vá para casa...

(*Entra PÔLIA. PIÓTR vem atrás dela.*)

PIÓTR — (*Para PÔLIA.*) Mas acalmem-se... Eu imploro...!

PÔLIA — Vassíli Vassílievitch! Por que motivo você na outra vez expulsou meu pai?

(*BESSIÊMENOV olha silenciosa e severamente para ela e para os outros, alternadamente.*)

PERTCHÍKHIN — (*Ameaçando com o dedo.*) Ch! Filhinha! Não fale... Você deve entender... Por que é que a Tatiana se envenenou? Hein? Vassíli Vassílievitch, você está vendo? Eu, irmão, estou falando a mais pura verdade... Eu vou julgar todos vocês... com sinceridade... como se deve! É muito simples como eu...

PÔLIA — Pare, pai...

PIÓTR — Por favor, Pôlia...

NIL — É melhor você se calar...

BESSIÊMENOV — Você, Pôlia, é muito... você é atrevida...

PERTCHÍKHIN — Ela? Não, ela... É minha...

BESSIÊMENOV — Você fique quieto! Eu não estou entendendo uma coisa... De quem é essa casa? Quem é o dono aqui da casa? Quem é que deve julgar?

PERTCHÍKHIN — Eu! Eu vou julgar tudo... todos, um de cada vez... Primeiro, não toque no que é dos outros! E depois devolva o que tomou!

PIÔTR — (*Para* PERTCHÍKHIN.) Escute. Pare de tagarelar! Venha comigo...

PERTCHÍKHIN — Eu não gosto de você, Piôtr! Você é uma pessoa arrogante... vazia! Não sabe de nada... O que é rede de esgoto? Hein?! Porque me contaram, rapaz... (PIÔTR *arrasta-o pela manga da camisa.*) Não me toque, espere...

NIL — (*Para* PIÔTR.) Não toque nele... Largue!

BESSIÊMENOV — (*Para* NIL.) E você está fazendo o que aqui? Incitando a confusão? Hein?

NIL — Não, eu só quero entender o que está acontecendo. De que o Pertchíkhin é culpado? Por que o expulsaram...? O que a Pôlia tem a ver com tudo isso?

BESSIÊMENOV — Você está me interrogando?

NIL — E se estiver, qual é o problema? Você é um homem, eu também...

BESSIÊMENOV — (*Enfurecido.*) Não, você não é um homem... Você é uma cobra! Um animal!

PERTCHÍKHIN — Ch! Silêncio! Vamos fazer silêncio, por favor...

BESSIÊMENOV — (*Para* PÓLIA.) E você é uma víbora! Uma miserável!

NIL — (*Entre os dentes.*) Não grite...!

BESSIÊMENOV — O quê? Fora! Sua viborazinha... Eu dei meu suor e meu sangue para criar você...

TATIANA — (*De seu quarto.*) Papaizinho! Papai!

PIÔTR — (*Para* NIL.) Então? Conseguiu o que queria? Mas você... deveria se envergonhar!

PÓLIA — (*Em voz baixa.*) Não... não ouse gritar comigo! Eu não sou sua escrava... Você não pode ofender todo mundo... Mas me diga você por que expulsaram meu pai!

NIL — (*Calmamente.*) Eu também exijo... Não são loucos que moram aqui... É necessário que cada um responda por seus atos...

BESSIÊMENOV — (*Em voz mais baixa, de maneira contida.*) Vá embora daqui, Nil... vá embora! Olhe... Fui eu que criei você... Alimentei...

NIL — Pare de jogar isso na minha cara! Tudo que eu comi eu paguei com trabalho!

BESSIÊMENOV — Você... partiu meu coração... seu bandido!

PÓLIA — (*Pega* NIL *pelo braço.*) Vamos embora daqui!

BESSIÊMENOV — Vão... rasteje, sua cobra! Foi você que... Por sua culpa... Picou a minha filha... E ele agora... Maldita... Por sua culpa minha filha...

PERTCHÍKHIN — Vassíli Vassílievitch! Silêncio! Por favor!

TATIANA — (*Grita.*) Pai! Parem com isso! Piôtr, o que você está fazendo? (*Aparece na porta de seu quarto e, estendendo impotentemente os braços, entra no meio deles.*) Piôtr, isso não é necessário! Ai, meu Deus! Teriênti Khrisánfovitch! Diga para eles... Diga para eles... Nil! Pôlia! Pelo amor de Deus, saiam! Vão embora! Para que tudo isso...?

(*Todos continuam agitados.* TIÊTERIEV, *mostrando os dentes, levanta-se lentamente da cadeira.* BESSIÊMENOV *afasta-se da filha.* PIÔTR *segura a irmã pelo braço e olha ao redor, desnorteado.*)

PÔLIA — Vamos!

NIL — Tudo bem! (*Para* BESSIÊMENOV.) Então nós vamos embora... vamos! Lamento que tudo tenha acontecido desse jeito tão confuso.

BESSIÊMENOV — Vão, vão...! Leve-a embora...

NIL — E eu não vou mais voltar...

PÔLIA — (*Em voz alta e trêmula.*) Colocar a culpa em mim desse jeito... Por causa da Tánia... Será possível? Eu sou mesmo culpada? Você não têm vergonha...

BESSIÊMENOV — (*Furioso.*) Vão embora ou não?!

NIL — Silêncio!

PERTCHÍKHIN — Pessoal, não se irritem! Sejamos amáveis...

PÔLIA — Adeus! Vamos, pai!

NIL — (*Para* PERTCHÍKHIN.) Vamos!

PERTCHÍKHIN — Nããão, eu não quero ir com vocês... Não é para mim... Estou por conta própria... Teriênti! Eu estou mesmo sozinho... Meu negócio é honesto...

TIÊTERIEV — Venha comigo...

PÔLIA — Vamos! Vamos antes que o expulsem...

PERTCHÍKHIN — Não... Eu não vou... Teriênti, eu não devo ir com eles! Eu sei...

PIÔTR — (*Para* NIL.) Mas saiam logo... Que diabos...!

NIL — Eu vou... Adeus... Mas como você é...

PÔLIA — Vamos, vamos...
   (*Saem.*)

BESSIÊMENOV — (*Grita enquanto eles saem.*) Vocês vão voltar! Vão dar o braço a torcer...

PIÔTR — Deixe disso, pai! Basta...

TATIANA — Papai! Meu querido... Não precisa gritar...

BESSIÊMENOV — Esperem... Esperem só...

PERTCHÍKHIN — Pronto... Agora foram embora... Que bom! Deixe-os ir...!

BESSIÊMENOV — Eu ainda queria dizer de despedida... Que eles são uns canalhas! Dei casa, comida... (*Para* PERTCHÍKHIN.) Você, seu velho miserável! Seu idiota! Chegou, começou a tagarelar... O que é que você quer afinal? O quê?

PIÔTR — Papai! Chega...

PERTCHÍKHIN — Vassíli Vassílievitch! Não grite... Eu respeito você, seu louco! Eu sou um tolo, é verdade! Mas eu entendo... qual é o caminho de cada um...

BESSIÊMENOV — (*Senta-se no divã.*) Eu... perdi a razão. Não entendo... O que foi que aconteceu? De repente... como um incêndio no campo durante o inverno... Ele foi embora... dizendo que não volta mais... Simples assim! Desse jeito! Não... Eu não consigo acreditar nisso...

TIÊTERIEV — (*Para* PERTCHÍKHIN.) Então, o que você está fazendo aqui? Está aqui para quê?

PERTCHÍKHIN — Para colocar as coisas em ordem... Eu, irmão, penso de maneira muito simples. Muito simples! Mais nada! Ela é minha filha? Muito bem... Isso quer dizer que ela deveria... (*Cala-se subitamente.*) Eu sou um mau pai... Ela não deve nada... Ela que viva como bem entender! Mas tenho pena de Tánia... Tánia... Tenho pena de você... Tenho pena de todos vocês, meus irmãos! Mas também...! Se eu for falar com toda a sinceridade, vocês são todos uns tolos...!

BESSIÊMENOV — Cale-se...

PIÔTR — Tánia! A Eliêna Nikoláievna foi embora?

ELIÊNA — (*Do quarto de* TATIANA.) Estou aqui... preparando o remédio...

BESSIÊMENOV — Minha cabeça está confusa... Não entendo nada! Será possível que o Nil... vai mesmo embora desse jeito?

AKULINA IVÁNOVNA — (*Entra, calmamente.*) O que aconteceu? O Nil e a Pôlia estão lá na cozinha... E eu estava na despensa...

BESSIÊMENOV — Eles foram embora?

AKULINA IVÁNOVNA — Não... estão chamando o Pertchíkhin... A Pôlia me pediu para dizer alguma coisa para o pai... Estava com os lábios tremendo. O Nil está lá rosnando, como se fosse um cachorro... O que foi que houve?

BESSIÊMENOV — (*Levantando-se.*) Agora eu é que vou... Eu vou lá...

PIÔTR — Pai, não precisa disso! Não vá...

TATIANA — Papai! Por favor... Não precisa...

BESSIÊMENOV — Do que não precisa?

AKULINA IVÁNOVNA — Mas o que foi que houve?

BESSIÊMENOV — Acontece que... o Nil foi embora... para sempre...

PIÔTR — E qual é o problema disso? Foi embora, que bom... Para que vocês precisam deles? Ele vai se casar... Ele quer ter sua própria família...

BESSIÊMENOV — Ah! Mas será que... eu, justo eu, sou um estranho para ele?

AKULINA IVÁNOVNA — Por que você está tão inquieto, pai? Eles que vão com Deus! Deixe que eles vão embora... Nós temos os nossos filhos... Pertchíkhin, o que você ainda está fazendo aqui? Vá embora!

PERTCHÍKHIN — Eu decidi não ir com eles...

BESSIÊMENOV — Não... Isso não se faz... Quer ir embora, que vá! Mas desse jeito? Ir embora desse jeito... Olhando para mim daquele jeito...?

(ELIÊNA *sai do quarto de* TATIANA.)

TIÊTERIEV — (*Pega* PERTCHÍKHIN *pelo braço e leva-o até a porta.*) Vamos tomar uma tacinha, vamos...

PERTCHÍKHIN — Mas você, voz de Deus, é mesmo um homem muito sério...

(*Saem.*)

BESSIÊMENOV — Eu sabia que ele iria embora da nossa casa... Mas tinha que ser desse jeito? E a outra... a outra... gritando! Uma empregadinha, uma qualquer... Eu vou lá falar com eles...

AKULINA IVÁNOVNA — Ah, chega, pai! Eles são estranhos para nós! Por que se lamentar por eles? Foram embora e pronto!

ELIÊNA — (*Para* PIÔTR *em voz baixa.*) Venha comigo...

TATIANA — (*Para* ELIÊNA.) Eu também... me leve também...!

ELIÊNA — Venha... Vamos...

BESSIÊMENOV — (*Ouvindo o apelo.*) Aonde?

ELIÊNA — Para o quarto da... Para a minha casa!

BESSIÊMENOV — Quem a senhora está chamando? O Piôtr?

ELIÊNA — Sim... e a Tánia...

BESSIÊMENOV — A Tánia não tem nada com isso! E o Piôtr não precisa... ir na sua casa!

PIÔTR — Por favor, pai! Eu... não sou mais criança! Eu vou ou não vou se quiser...

BESSIÊMENOV — Não vai!

AKULINA IVÁNOVNA — Piêtia! Obedeça ao seu pai! Obedeça...

ELIÊNA — (*Indignada.*) Com sua licença, Vassíli Vassílievitch!

BESSIÊMENOV — Não, com a sua licença! Vocês é que são os instruídos... Vocês é que perderam a consciência... E não respeitam ninguém...

TATIANA — (*Grita histericamente.*) Papai! Pare...

BESSIÊMENOV — Cale-se! Se você não manda no seu próprio destino, cale-se... Espere! Aonde você vai?
(ELIÊNA *vai até a porta.*)

PIÔTR — (*Corre atrás dela, pega-a pelo braço.*) Por favor! Espere um minuto... Nós devíamos... nos declarar de uma vez...

BESSIÊMENOV — Vocês precisam me escutar... Façam-me o favor de me escutar! Deixem-me entender o que está acontecendo? (*Entra* PERTCHÍKHIN, *radiante e contente, e atrás dele,* TIÊTERIEV *também com um sorriso nos lábios. Eles param junto à porta, entreolham-se.* PERTCHÍKHIN *pisca para* BESSIÊMENOV *e agita os braços.*)

Todos estão indo embora para algum lugar... sem qualquer explicação de suas intenções... Gratuitamente... de um jeito desordenado, ofensivo! Aonde você poderia ir, Piôtr? Você... o que você quer? Como pretende viver? O que pretende fazer? (AKULINA IVÁNOVNA soluça. PIÔTR, ELIÊNA e TATIANA *permanecem juntos, em grupo, diante de* BESSIÊMENOV. *Ao ouvi-lo dizer "aonde você poderia ir...",* TATIANA *afasta-se em direção à mesa, onde está a mãe.* PERTCHÍKHIN *gesticula algo para* TIÊTERIEV, *sacode a cabeça e esfrega as mãos, como se espantasse passarinhos.*) Eu tenho o direito de perguntar... Você é jovem, você ainda é ingênuo! Eu me matei de trabalhar por cinquenta e oito anos pelo bem dos meus filhos...

PIÔTR — Eu já ouvi, pai! Mais de cem vezes...

BESSIÊMENOV — Pare! Cale-se!

AKULINA IVÁNOVNA — Ai, Piêtia, Piêtia...

TATIANA — Mamãe, você... não entende nada!
(AKULINA IVÁNOVNA *balança a cabeça.*)

BESSIÊMENOV — Cale-se! O que é que você pode falar? Para quem você está apontando? Não há nada...

PIÔTR — Pai! Você está me torturando! O que é que você quer? O que você quer?

AKULINA IVÁNOVNA — (*Subitamente em voz alta.*) Não, pare! Eu também tenho um coração... também tenho voz! Meu filhinho! O que você está fazendo? O que está querendo fazer? Pediu para quem?

TATIANA — Isso é horrível! Parece uma espada pouco

afiada... (*Para a mãe.*) Rasgando nossa alma... nosso corpo...

AKULINA IVÁNOVNA — Sua mãe é que é uma espada? Sua mãe?

BESSIÊMENOV — Espere, velha! É ele... deixe-o falar...

ELIÊNA — (*Para* PIÔTR.) Para mim chega! Eu não aguento mais... Vou embora...

PIÔTR — Espere... pelo amor de Deus! Agora tudo ficará claro...

ELIÊNA — Não, isso aqui é uma casa de loucos! É um...

TIÊTERIEV — Eliêna Nikoláievna, vá embora! Mande-os todos para o inferno!

BESSIÊMENOV — E o senhor! O senhor...

TATIANA — Mas não vão acabar logo com isso? Piôtr, vá embora!

PIÔTR — (*Quase gritando.*) Pai... escute! Mãe... Esta é a minha noiva!

(*Pausa. Todos olham para* PIÔTR. *Depois,* AKULINA IVÁNOVNA *ergue os braços e olha em desespero para o marido.* BESSIÊMENOV *afasta-se rapidamente para trás, como se o tivessem empurrado, e inclina a cabeça.* TATIANA, *suspirando profundamente, vai até o piano lentamente, os braços pendendo de seu corpo.*)

TIÊTERIEV — (*A meia-voz.*) Escolheu bem o momento...

PERTCHÍKHIN — (*Dando um passo adiante.*) Bom, então é isso! Pois então... todos saíram voando! Vão, criancinhas, voem de suas gaiolas, como os passarinhos no dia da Anunciação...

ELIÊNA — (*Soltando a mão de* PIÔTR.) Me largue! Eu não posso...

PIÔTR — (*Resmunga.*) Agora está tudo claro... De uma vez...

BESSIÊMENOV — (*Cumprimentando o filho.*) Pois bem, muito obrigado, meu filhinho... Pela alegre notícia...

AKULINA IVÁNOVNA — (*Em prantos.*) Você se arruinou, Piêtia! Ela por um acaso... serve para você...?

PERTCHÍKHIN — Ela? Para o Piôtr? Mas... como assim? Velha! E ele o que vale?

BESSIÊMENOV — (*Para* ELIÊNA, *lentamente.*) Obrigado a você também, senhora! Agora pelo visto ele também caiu nessa! Ele deveria estudar... Mas agora... Muito bem! Eu também já me senti assim... (*Maldosamente.*) Parabenizo pelo feito! Piêtia! Você não tem a minha benção! E você... você... fisgou! Roubou! Sua megera... Sem-vergonha...

ELIÊNA — O senhor não ouse...!

PIÔTR — Pai! O senhor está... louco!

ELIÊNA — Não, pare! É verdade! Fui eu mesma quem o tirou de vocês! Fui eu... quem disse primeiro para ele... quem disse para ele se casar comigo! Estão ouvindo? Estão ouvindo, seus corvos? Ouviram...? Eu que o arranquei de vocês! Eu tenho pena dele! Vocês só o atormentam... Vocês são sanguessugas, não são gente!

O amor de vocês é a ruína para ele! Vocês pensam, e eu sei que vocês pensam, que eu fiz isso por mim mesma? Pois podem pensar... Ai! Como eu odeio vocês!

TATIANA — Liêna! Liêna! O que você está dizendo?

PIÔTR — Eliêna... Vamos!

ELIÊNA — Sabem, pode ser que eu ainda não me case com ele! Vocês ficariam contentes, não é? Ah, mas é muito provável! Vocês não devem ficar alarmados antes da hora! Eu vou apenas morar com ele... sem casamento... Mas devolvê-lo a vocês eu não vou! Não vou! Vocês não vão mais atormentá-lo, não vão! E ele nunca mais irá visitá-los! Nunca! Nunca!

TIÊTERIEV — Bravo! Bravo, senhora!

AKULINA IVÁNOVNA — Ai, meu Deus! Pai... o que é isso? Pai...

PIÔTR — (*Empurrando* ELIÊNA *para a porta.*) Vá... Vamos... Vamos embora...
(ELIÊNA, *ao sair, arrasta* PIÔTR *consigo.*)

BESSIÊMENOV — (*Olhando impotentemente ao redor.*) Então é assim...? (*Subitamente fala em voz alta, rápida e aguda.*) Chamem a polícia! (*Batendo com o pé no chão.*) Vou enxotá-la da casa! Amanhã mesmo... Se vou...!

TATIANA — Papai! O que você está dizendo?

PERTCHÍKHIN — (*Surpreso, sem entender nada.*) Vassíli Vassílievitch! Meu caro! Por que gritar tanto? Você precisa se alegrar...

TATIANA — (*Aproximando-se do pai.*) Escute...

BESSIÊMENOV — E você! Você ainda... ficou! Por que você também não foi embora? Vá embora você também... Não tem com quem? Não tem para onde? Dormiu no ponto?

(TATIANA, *recuando, vai rapidamente em direção ao piano.* AKULINA IVÁNOVNA, *desconcertada e com pena, lança-se em direção dela.*)

PERTCHÍKHIN — Vassíli Vassílievitch, pare com isso! Pense! Estudar o Piôtr não vai mais... para que ele precisa disso? (BESSIÊMENOV *olha com um olhar abobalhado para o rosto de* PERTCHÍKHIN *e meneia a cabeça.*) Ele tem é que viver. Você juntou dinheiro... A esposa é um doce... E você aí gritando, fazendo barulho! Ora, caia em si!

(TIÊTERIEV *ri.*)

AKULINA IVÁNOVNA — (*Choraminga.*) Todos nos abandonaram! Nos largaram!

BESSIÊMENOV — (*Olhando ao redor.*) Cale-se, mãe! Eles vão voltar... Não vão se atrever...! Aonde é que eles vão? (*Para* TIÊTERIEV.) E você aí, do que está rindo? Hein? Seu traste! Seu diabo! Fora da minha casa! Amanhã mesmo ponha-se daqui para fora! Você e toda a sua corja...

PERTCHÍKHIN — Vassíli Vassílievitch...!

BESSIÊMENOV — Fora você também! Seu infeliz... Vagabundo...

AKULINA IVÁNOVNA — Tánia! Tánietchka! Minha querida! E você aqui doente, infeliz! O que será de nós?

BESSIÊMENOV — Você, filhinha, sabia de tudo... Você sabia de tudo... E ficou quieta! É um complô contra o seu pai? (*Subitamente, como que assustado.*) Você acha... que ele não vai largar dela? Dessa mulherzinha? Casar... com essa devassa! Meu filho... Vocês são uns malditos! Infelizes... Uns desregrados!

TATIANA — Me deixe em paz! Vocês não me façam... começar a odiar...

AKULINA IVÁNOVNA — Filhinha! Você não tem sorte! Atormentaram você! Atormentaram todos nós... e por quê?

BESSIÊMENOV — E quem foi? Foi tudo culpa do Nil, aquele safado... Canalha! Confundiu o meu filho... E fez minha filha sofrer! (*Vendo TIÊTERIEV, de pé junto ao armário.*) E você, seu maltrapilho, o que foi? Está fazendo o que aí? Fora da minha casa!

PERTCHÍKHIN — Vassíli Vassílievitch! Mas por que ele? Mas... esse velho perdeu o juízo!

TIÊTERIEV — (*Calmamente.*) Não grite, velho! Você não pode expulsar tudo que vai contra a sua vontade... E não se aflija... O seu filho vai voltar...

BESSIÊMENOV — (*Rapidamente.*) Mas... como você sabe?

TIÊTERIEV — Ele não vai muito longe de você. Ele subiu momentaneamente, foi arrastado para lá... Mas ele vai descer... Você vai morrer, ele vai reformular um pouco esse chiqueiro, vai trocar a mobília e viver, assim como você, de maneira tranquila, sensata e confortável...

PERTCHÍKHIN — (*Para* BESSIÊMENOV.) Está vendo? Seu bobo! Seu apressado! Ele aqui desejando o seu bem... Dizendo palavras amigáveis para consolá-lo... e você aí berrando! O Teriênti, irmão, é um homem sábio...

TIÊTERIEV — Ele vai trocar a mobília e viver com a certeza de que seu dever perante a vida está devidamente cumprido. Afinal, ele é exatamente igual a você...

PERTCHÍKHIN — Tal e qual!

TIÊTERIEV — Exatamente igual... Covarde e tolo...

PERTCHÍKHIN — (*Para* TIÊTERIEV.) Espere! O que você disse?

BESSIÊMENOV — Você... fale direito comigo, não me insulte assim... não ouse!

TIÊTERIEV — E quando chegar a vez dele, será tão avarento como você, presunçoso e cruel. (PERTCHÍKHIN *olha admiradamente para o rosto de* TIÊTERIEV, *sem entender se ele está tentando confortar o velho ou insultá-lo. No rosto de* BESSIÊMENOV *também se percebe perplexidade, mas a fala de* TIÊTERIEV *o interessa.*) E até mesmo infeliz ele será como você está agora... A vida segue em frente, velho. Quem não consegue acompanhá-la acaba ficando sozinho...

PERTCHÍKHIN — Viu? Ouviu? Pelo visto tudo vai sair do jeito que tem que ser... e você aí irritado!

BESSIÊMENOV — Pare, me deixe em paz!

TIÊTERIEV — E da mesma maneira não terão piedade de seu infeliz e lamentável filho, e vão dizer a verdade na cara dele, assim como eu estou falando para você: "A troco de que você viveu? O que fez de bom?". E o seu filho, assim como você agora, não vai ter o que responder...

BESSIÊMENOV — Pois é... Você fica aí falando... E, como sempre, de maneira muito coerente! Mas aqui em meu coração? Não, eu não acredito em você! E de qualquer maneira, vá embora da casa! Basta... Já aguentei você por muito tempo! E você também... causou aqui muitas coisas... prejudiciais a mim...

TIÊTERIEV — Ah, se tivesse sido eu! Mas não, não fui eu... (*Sai.*)

BESSIÊMENOV — (*Sacudindo a cabeça.*) Bom... Tenhamos paciência... Que seja! Esperemos... Esperei a vida inteira... Agora vou ter que esperar mais um pouco! (*Vai para seu quarto.*)

AKULINA IVÁNOVNA — (*Corre atrás do marido.*) Pai! Meu querido! Como somos infelizes! Por que nossos filhinhos fizeram isso conosco? Por que nos puniram desse jeito? (*Vai na direção do quarto.*)

(PERTCHÍKHIN *permanece em pé no meio da sala, piscando perplexamente.* TATIANA *olha ao seu redor com uma expressão selvagem, sentada na cadeira junto ao piano. Do quarto dos velhos ouve-se uma conversa abafada.*)

PERTCHÍKHIN — Tánia! Tánia... (TATIANA *não olha para ele, não responde.*) Tánia! Por que eles saíram correndo, por que estão chorando? Hein? (*Olha para* TATIANA, *suspira.*) Loucos! (*Olha para a porta do quarto dos velhos, vai na direção do saguão, balançando a cabeça.*) Vou me juntar ao Teriênti... Loucos! (TATIANA, *curvando-se lentamente, apoia o cotovelo nas teclas. Pelo quarto ouve-se um som alto e desordenado de muitas cordas, que em seguida vai se extinguindo.*)

(*Cortinas.*)

# COLEÇÃO HEDRA

1. *Iracema*, Alencar
2. *Don Juan*, Molière
3. *Contos indianos*, Mallarmé
4. *Auto da barca do Inferno*, Gil Vicente
5. *Poemas completos de Alberto Caeiro*, Pessoa
6. *Triunfos*, Petrarca
7. *A cidade e as serras*, Eça
8. *O retrato de Dorian Gray*, Wilde
9. *A história trágica do Doutor Fausto*, Marlowe
10. *Os sofrimentos do jovem Werther*, Goethe
11. *Dos novos sistemas na arte*, Maliévitch
12. *Mensagem*, Pessoa
13. *Metamorfoses*, Ovídio
14. *Micromegas e outros contos*, Voltaire
15. *O sobrinho de Rameau*, Diderot
16. *Carta sobre a tolerância*, Locke
17. *Discursos ímpios*, Sade
18. *O príncipe*, Maquiavel
19. *Dao De Jing*, Lao Zi
20. *O fim do ciúme e outros contos*, Proust
21. *Pequenos poemas em prosa*, Baudelaire
22. *Fé e saber*, Hegel
23. *Joana d'Arc*, Michelet
24. *Livro dos mandamentos: 248 preceitos positivos*, Maimônides
25. *O indivíduo, a sociedade e o Estado, e outros ensaios*, Emma Goldman
26. *Eu acuso!*, Zola | *O processo do capitão Dreyfus*, Rui Barbosa
27. *Apologia de Galileu*, Campanella
28. *Sobre verdade e mentira*, Nietzsche
29. *O princípio anarquista e outros ensaios*, Kropotkin
30. *Os sovietes traídos pelos bolcheviques*, Rocker
31. *Poemas*, Byron
32. *Sonetos*, Shakespeare
33. *A vida é sonho*, Calderón
34. *Escritos revolucionários*, Malatesta
35. *Sagas*, Strindberg
36. *O mundo ou tratado da luz*, Descartes
37. *O Ateneu*, Raul Pompeia
38. *Fábula de Polifemo e Galateia e outros poemas*, Góngora
39. *A vênus das peles*, Sacher-Masoch
40. *Escritos sobre arte*, Baudelaire
41. *Cântico dos cânticos*, [Salomão]
42. *Americanismo e fordismo*, Gramsci
43. *O princípio do Estado e outros ensaios*, Bakunin
44. *O gato preto e outros contos*, Poe
45. *História da província Santa Cruz*, Gandavo
46. *Balada dos enforcados e outros poemas*, Villon
47. *Sátiras, fábulas, aforismos e profecias*, Da Vinci
48. *O cego e outros contos*, D.H. Lawrence

49. *Rashômon e outros contos*, Akutagawa
50. *História da anarquia (vol. 1)*, Max Nettlau
51. *Imitação de Cristo*, Tomás de Kempis
52. *O casamento do Céu e do Inferno*, Blake
53. *Cartas a favor da escravidão*, Alencar
54. *Utopia Brasil*, Darcy Ribeiro
55. *Flossie, a Vênus de quinze anos*, [Swinburne]
56. *Teleny, ou o reverso da medalha*, [Wilde et al.]
57. *A filosofia na era trágica dos gregos*, Nietzsche
58. *No coração das trevas*, Conrad
59. *Viagem sentimental*, Sterne
60. *Arcana Cœlestia e Apocalipsis revelata*, Swedenborg
61. *Saga dos Volsungos*, Anônimo do séc. XIII
62. *Um anarquista e outros contos*, Conrad
63. *A monadologia e outros textos*, Leibniz
64. *Cultura estética e liberdade*, Schiller
65. *A pele do lobo e outras peças*, Artur Azevedo
66. *Poesia basca: das origens à Guerra Civil*
67. *Poesia catalã: das origens à Guerra Civil*
68. *Poesia espanhola: das origens à Guerra Civil*
69. *Poesia galega: das origens à Guerra Civil*
70. *O chamado de Cthulhu e outros contos*, H.P. Lovecraft
71. *O pequeno Zacarias, chamado Cinábrio*, E.T.A. Hoffmann
72. *Tratados da terra e gente do Brasil*, Fernão Cardim
73. *Entre camponeses*, Malatesta
74. *O Rabi de Bacherach*, Heine
75. *Bom Crioulo*, Adolfo Caminha
76. *Um gato indiscreto e outros contos*, Saki
77. *Viagem em volta do meu quarto*, Xavier de Maistre
78. *Hawthorne e seus musgos*, Melville
79. *A metamorfose*, Kafka
80. *Ode ao Vento Oeste e outros poemas*, Shelley
81. *Oração aos moços*, Rui Barbosa
82. *Feitiço de amor e outros contos*, Ludwig Tieck
83. *O corno de si próprio e outros contos*, Sade
84. *Investigação sobre o entendimento humano*, Hume
85. *Sobre os sonhos e outros diálogos*, Borges | Osvaldo Ferrari
86. *Sobre a filosofia e outros diálogos*, Borges | Osvaldo Ferrari
87. *Sobre a amizade e outros diálogos*, Borges | Osvaldo Ferrari
88. *A voz dos botequins e outros poemas*, Verlaine
89. *Gente de Hemsö*, Strindberg
90. *Senhorita Júlia e outras peças*, Strindberg
91. *Correspondência*, Goethe | Schiller
92. *Índice das coisas mais notáveis*, Vieira
93. *Tratado descritivo do Brasil em 1587*, Gabriel Soares de Sousa
94. *Poemas da cabana montanhesa*, Saigyō
95. *Autobiografia de uma pulga*, [Stanislas de Rhodes]
96. *A volta do parafuso*, Henry James
97. *Ode sobre a melancolia e outros poemas*, Keats
98. *Teatro de êxtase*, Pessoa

99. *Carmilla — A vampira de Karnstein*, Sheridan Le Fanu
100. *Pensamento político de Maquiavel*, Fichte
101. *Inferno*, Strindberg
102. *Contos clássicos de vampiro*, Byron, Stoker e outros
103. *O primeiro Hamlet*, Shakespeare
104. *Noites egípcias e outros contos*, Púchkin
105. *A carteira de meu tio*, Macedo
106. *O desertor*, Silva Alvarenga
107. *Jerusalém*, Blake
108. *As bacantes*, Eurípides
109. *Emília Galotti*, Lessing
110. *Contos húngaros*, Kosztolányi, Karinthy, Csáth e Krúdy
111. *A sombra de Innsmouth*, H.P. Lovecraft
112. *Viagem aos Estados Unidos*, Tocqueville
113. *Émile e Sophie ou os solitários*, Rousseau
114. *Manifesto comunista*, Marx e Engels
115. *A fábrica de robôs*, Karel Tchápek
116. *Sobre a filosofia e seu método — Parerga e paralipomena (v. II, t. I)*, Schopenhauer
117. *O novo Epicuro: as delícias do sexo*, Edward Sellon
118. *Revolução e liberdade: cartas de 1845 a 1875*, Bakunin
119. *Sobre a liberdade*, Mill
120. *A velha Izerguil e outros contos*, Górki
121. *Pequeno-burgueses*, Górki
122. *Um sussurro nas trevas*, H.P. Lovecraft
123. *Primeiro livro dos Amores*, Ovídio
124. *Educação e sociologia*, Durkheim
125. *Elixir do pajé — poemas de humor, sátira e escatologia*, Bernardo Guimarães
126. *A nostálgica e outros contos*, Papadiamántis
127. *Lisístrata*, Aristófanes
128. *A cruzada das crianças/ Vidas imaginárias*, Marcel Schwob
129. *O livro de Monelle*, Marcel Schwob
130. *A última folha e outros contos*, O. Henry
131. *Romanceiro cigano*, Lorca
132. *Sobre o riso e a loucura*, [Hipócrates]
133. *Hino a Afrodite e outros poemas*, Safo de Lesbos
134. *Anarquia pela educação*, Élisée Reclus
135. *Ernestine ou o nascimento do amor*, Stendhal
136. *A cor que caiu do espaço*, H.P. Lovecraft
137. *Odisseia*, Homero
138. *O estranho caso do Dr. Jekyll e Mr. Hyde*, Stevenson
139. *História da anarquia (vol. 2)*, Max Nettlau
140. *Eu*, Augusto dos Anjos
141. *Farsa de Inês Pereira*, Gil Vicente
142. *Sobre a ética — Parerga e paralipomena (v. II, t. II)*, Schopenhauer
143. *Contos de amor, de loucura e de morte*, Horacio Quiroga
144. *Memórias do subsolo*, Dostoiévski
145. *A arte da guerra*, Maquiavel

146. *O cortiço*, Aluísio Azevedo
147. *Elogio da loucura*, Erasmo de Rotterdam
148. *Oliver Twist*, Dickens
149. *O ladrão honesto e outros contos*, Dostoiévski
150. *Diários de Adão e Eva e outros escritos satíricos*, Mark Twain
151. *Cadernos: Esperança do mundo*, Albert Camus
152. *Cadernos: A desmedida na medida*, Albert Camus
153. *Cadernos: A guerra começou...*, Albert Camus
154. *Escritos sobre literatura*, Sigmund Freud
155. *O destino do erudito*, Fichte

Edição _ Bruno Costa
Coedição _ Jorge Sallum e Iuri Pereira
Capa e projeto gráfico _ Júlio Dui e Renan Costa Lima
Imagem de capa _ *Childhood Memories*, Muffet/ liz west ⓒⓒ
Programação em LaTeX _ Marcelo Freitas
Revisão _ Bruno Costa e Bruno Oliveira
Assistência editorial _ Bruno Oliveira
Colofão _ Adverte-se aos curiosos que se imprimiu esta obra em nossas oficinas em 18 de março de 2015, em papel off-set 90 gramas, composta em tipologia Walbaum Monotype de corpo oito a treze e Courier de corpo sete, em GNU/Linux (Gentoo, Sabayon e Ubuntu), com os softwares livres LaTeX, DeTeX, vim, Evince, Pdftk, Aspell, svn e TRAC.